Devine qui vient dîner ce soir ?

Marc de LEYRITZ

Devine qui vient dîner ce soir ?

Découvrir Jésus-Christ
avec le parcours Alpha

Avant-propos de Mgr André Vingt-Trois
archevêque de Paris

PRESSES
DE LA
RENAISSANCE

Ouvrage réalisé
sous la direction éditoriale de Christophe RÉMOND

Dessins : © Ixène

Si vous souhaitez être tenu(e)
au courant de nos publications,
envoyez vos nom et adresse, en citant ce livre,
aux Éditions des Presses de la Renaissance,
12, avenue d'Italie, 75013 Paris.
Et, pour le Canada,
à INTERFORUM Canada Inc.,
1050, boulevard René-Lévesque Est,
Bureau 100,
H2L 2L6 Montréal, Québec.

Contactez notre site Internet :
www.presses-renaissance.fr

ISBN 978.2.7509.0330.5
© Presses de la Renaissance, Paris, 2007.

« Voici, je me tiens à la porte et je frappe ;
si quelqu'un entend ma voix et ouvre la porte,
j'entrerai chez lui, je dînerai avec lui, et lui avec moi. »

Apocalypse 3, 20

Avant-propos[1]

J E VOUDRAIS SUGGÉRER quelques pistes de réflexion quant à notre situation culturelle et quant à la situation de ceux qui essaient d'être témoins de l'Évangile aujourd'hui. Il me semble que l'éclosion et l'extension des parcours Alpha nous offrent des éléments d'analyse dont je voudrais vous faire part.

Un bel exemple d'œcuménisme pratique

Le premier élément de réflexion concerne le développement du parcours Alpha. Initié dans une paroisse anglicane, il s'est peu à peu étendu jusqu'à toucher des communautés catholiques. Il est devenu un instrument de travail et d'action qui permet à des catholiques, à des protestants et à quelques orthodoxes de partager un certain nombre de convictions et de projets, même si – évidemment – chacun les met en œuvre dans la fidélité à sa propre Église. Personne n'a jamais pensé que le parcours

---

1. Cet avant-propos reprend l'exposé introductif fait par Mgr André Vingt-Trois, archevêque de Paris, à la conférence nationale de formation des 21 et 22 janvier 2006 en la paroisse de Saint-Honoré-d'Eylau à Paris, devant six cents responsables et animateurs de parcours Alpha.

Alpha serait une sorte de laboratoire de « manipulation génétique » qui permettrait de faire surgir une nouvelle Église transconfessionnelle.

Nous sommes ainsi engagés dans une expérience de partage fraternel entre les Églises chrétiennes. Nous, catholiques, avons reçu un encouragement, une aide, un soutien, pour être davantage fidèles à notre propre mission. C'est un bel exemple d'œcuménisme pratique qui n'a pas besoin de grandes justifications, pourvu que chacun soit bien conscient de ce qu'il fait : on n'annonce pas de la même manière l'Évangile dans la tradition catholique et dans les communautés protestantes, mais c'est le même Évangile et c'est le même Esprit. Voilà déjà un motif d'action de grâce. J'ai tant entendu énoncer que la division des chrétiens rend impossible le témoignage de l'Évangile ! Puisque, pour une fois, nous sommes en situation de contribuer à ce témoignage en collaborant entre chrétiens d'Églises différentes, nous devons rendre perceptible cette étape de notre fraternité.

Alpha touche les « recommençants »

Le deuxième aspect que je voudrais souligner concerne le point de départ du parcours Alpha. Il correspond très exactement à la situation de beaucoup de paroisses catholiques. Un certain nombre d'hommes et de femmes se rattachent aujourd'hui à une tradition ecclésiale par des biais très divers. Ils vivent une appartenance très inégale à leur Église, à la foi chrétienne et à l'Évangile, en raison des péripéties de leur existence et des chemins qu'ils ont parcourus. Au point que, depuis une quinzaine d'années, on parle, dans la pastorale catholique, de « recommençants ». Ce sont des gens qui ont été baptisés ou qui ont connu une certaine initiation chrétienne dans l'enfance, ou encore qui ont eu une pratique chrétienne tout à fait substantielle, mais qui, en raison de certains événements de leur vie, se sont éloignés non seulement de la pratique de leurs communautés chrétiennes, mais, plus profondément encore, des préoccupations de la foi. La Parole de Dieu elle-même est progressivement devenue insignifiante à leurs yeux ou à leur cœur, non parce qu'ils la mépriseraient, mais parce qu'elle n'a plus de sens pour eux. C'est une parole qui ne leur dit plus rien. Ce n'est pas une question de traduction. Il faut dégonfler ici la baudruche selon laquelle la Parole de Dieu serait inaudible parce que trop compliquée. Quand on dit : « Faites du bien à ceux qui vous font du mal », il n'y a rien de compliqué là-dedans ; ce qui est compliqué, c'est de le faire, pas de le dire ! Tout le monde comprend très bien ce que cela signifie.

La liberté de Dieu touche les cœurs d'une manière que nous ne maîtrisons pas et que nous ne pouvons pas programmer. Un certain nombre de gens retrouvent en eux, non pas des réponses, mais des questions. Ces questions ne sont pas spécifiquement religieuses, ce sont des questions fondamentales de l'existence humaine. Ils sont confrontés par la vie à la naissance, à l'amour, à la mort ou à des événements moins définitifs, comme des problèmes de relations humaines, de travail, de logement. Un questionnement se fait jour et ils se mettent à chercher des débuts de réponse.

Dans une culture globalement sécularisée, dans une indifférence quasi généralisée, nous assistons à l'émergence de l'inquiétude humaine, au sens le plus profond du terme, pas simplement l'anxiété : « Qu'allons-nous devenir ? », « Vers quoi allons-nous ? » Cette inquiétude n'a pas déserté le cœur des hommes. Grâce à une parole entendue, à un geste posé, à une main tendue, à un dialogue, à une attention particulière, quelqu'un se dit en lui-même : « Peut-être l'Évangile apporte-t-il une partie des réponses que je cherche ; peut-être vaut-il la peine que je me remette en marche... » Ce sont ceux que nous appelons les « recommençants ».

Devant cette occasion de se remettre en marche se dresse une sorte d'écran, un fossé, une barrière. Les intéressés ne sont pas forcément disposés à faire immédiatement une démarche qu'ils estiment institutionnelle ou très officielle pour aller parler avec le « professionnel de la religion », qui n'est pas nécessairement le prêtre, mais plus largement celui qui est dans l'église et qui accueille. Nous ne nous représentons pas toujours ce que ce veut dire pour des personnes qui sont depuis dix ans, quinze ans, trente ans en dehors d'une vie communautaire chrétienne, de franchir le porche d'une église et de prendre l'initiative d'aller rencontrer quelqu'un. C'est une démarche considérable.

À qui vont-elles parler ? Avec qui vont-elles pouvoir ne serait-ce que laisser apparaître une ou l'autre des questions qu'elles portent ? Qui sera le Jean-Baptiste qui leur permettra d'accéder au Christ ? Qui sera le disciple qui leur dira, comme à l'aveugle à la sortie de Jéricho : « Debout, lève-toi, il t'appelle ! » (Marc 10, 49) ?

Ici se pose la question de la manière dont les membres de nos communautés chrétiennes sont vraiment présents à leur monde, non pas « leur petit monde à eux », mais le monde dans lequel ils vivent. Comment sommes-nous présents aux autres ? Sommes-nous des interlocuteurs habituels pour ceux qui nous entourent, bien ancrés dans leur vie, au point qu'il y ait suffisamment de confiance établie entre nous pour qu'ils nous parlent de choses qui leur paraissent importantes ? Autrement dit, comment sommes-nous envoyés par le Christ pour porter l'Évangile au milieu des hommes ? Quand nous nous laissons conduire par cette dynamique de présence, de proximité, d'ouverture, nous voyons bien que cela permet, à certains moments, d'ouvrir une porte, d'entamer un dialogue... C'est précisément à ce moment que le parcours Alpha aide à aller plus loin.

Convivialité et enseignement : une façon d'avancer tous ensemble

Je voudrais réfléchir aussi sur la façon dont les créateurs du parcours Alpha ont progressivement élaboré une méthode réunissant un certain nombre d'éléments qui correspondent aux attentes de beaucoup de gens aujourd'hui. Quels sont ces éléments ?

Un temps de convivialité, d'accueil, une atmosphère qui exprime la joie de se retrouver ou la joie de se rencontrer. C'est important, car un certain nombre de gens viennent là, peut-être pas à leur corps défendant, mais du moins avec beaucoup de timidité et de perplexité. Pour qu'ils accèdent à la joie de se retrouver, il faut que nous y mettions beaucoup du nôtre, car c'est à nous qu'il revient de créer cette ambiance, ce climat, ce sentiment de fête, de joie d'être ensemble.

Un temps d'enseignement où l'on reçoit des informations. Parmi les participants du parcours Alpha, un certain nombre sont de vieux chrétiens que l'on peut dire « refroidis ». Il y a encore quelques braises, et si on souffle un peu dessus, cela finit par revenir, petit à petit. Et puis il y a aussi des gens qui sont ignorants de tout. Pour leur permettre de participer, de parler, d'écouter, il faut leur donner des clés de compréhension, des informations sur la foi chrétienne, sur la pratique ecclésiale.

Enfin, à travers le temps d'échange, une chance est donnée de s'apercevoir que, par-delà les premières timidités ou les premières difficultés, on est tous à peu près dans la même situation par rapport à l'Évangile. Vous avez beau avoir des connaissances ou des expériences plus riches, plus vivantes, plus fortes, lorsque vous vous mettez vraiment devant la parole de l'Évangile, vous vous apercevez que vous n'êtes pas plus avancé que ceux qui n'ont pas cette expérience ou qui n'ont pas vécu cette richesse. Le questionnement de l'Évangile va tellement au cœur de notre vie que nous sommes toujours, d'une certaine façon, des débutants, en voie de croissance.

Pour l'illustrer, on pourrait dire que, sur une marche d'un kilomètre, celui qui fait de grandes enjambées et celui qui en fait de petites n'arrivent pas en même temps. Mais sur une marche de mille kilomètres, la longueur des enjambées ne change pas grand-chose : on est tous aussi loin du but. L'attitude fondamentale n'est pas de nous demander : « Comment vais-je les amener là où je voudrais qu'ils parviennent ? », « Comment vais-je les faire adhérer à ce que je crois important ? », mais plutôt : « Comment vais-je accueillir ces personnes ? », « Comment vais-je recevoir de leur expérience quelque chose qui va nous faire avancer ensemble ? » Dans ce dernier cas, mon travail consiste simplement à les aider à faire sortir ce qu'elles peuvent apporter.

Recycler des chrétiens ou s'adresser à ceux qui sont étrangers au christianisme ?

Il y a un autre point que je voulais aborder afin de vous encourager, si vous en avez besoin... On entend parfois des gens dire : « Le parcours Alpha, c'est très bien mais ce n'est pas vraiment une opération missionnaire car 80 % des gens qui sont touchés sont déjà des chrétiens. » Ce que j'ai dit précédemment montre déjà qu'il ne suffit pas d'en avoir le titre pour être réellement chrétien.

Plus profondément, si nous sommes dans cette situation, c'est aussi parce que nos communautés chrétiennes ne sont pas toujours déterminées à adopter une attitude missionnaire. Alors, allons-nous « spécialiser » les parcours Alpha dans le recyclage, dans la remise à jour des chrétiens ? Ou bien pensons-nous que le parcours Alpha peut être un lieu et une expérience de découverte de la foi pour des gens qui ne sont pas chrétiens ? Selon la réponse qu'on apporte à cette question, on n'invite pas les mêmes personnes. On peut considérer le parcours Alpha comme une sorte de catéchèse pour recommençants ; c'est très utile, et il faut le faire.

Mais si nous voulons toucher d'autres personnes, nous devons nous poser une autre question : « Le parcours Alpha peut-il vraiment être un premier contact avec la foi chrétienne pour des gens qui y sont complètement étrangers ? » Si c'est le cas, peut-être faut-il relire notre pratique, notre expérience, en intégrant cette donnée. Notre manière de faire est-elle vraiment ouverte à cette catégorie de personnes ou bien est-elle seulement destinée à remettre à jour les chrétiens assoupis ? Suivant la perspective qu'on choisit, on ne répondra pas de la même façon à la question : « Qui pourrait-on inviter ? »

Comment intégrer ceux qui sortent d'Alpha dans la vie paroissiale ?

Au fur et à mesure que les parcours Alpha se multi-plient, les paroisses voient arriver de nouveaux chrétiens, pour lesquels l'intégration dans la vie ordinaire de la paroisse n'est pas toujours aisée. Il est utile, pour réfléchir à cette problématique, de s'appuyer sur notre expérience des néophytes : les nouveaux chrétiens qui sont baptisés et confirmés dans la nuit de Pâques. Ils ont vécu un an, deux ans, parfois davantage, d'un cheminement très communautaire, très accompagné, très soutenu par le caté-chuménat. Dans la nuit de Pâques, c'est magnifique, tout le monde est très ému. Dans le meilleur des cas, le diman-che suivant, on fait une petite fête, puis après : « Pfffuit ! Bonne route et bon vent ! » Que font-ils ? Que devien-nent-ils ? Une tentation, à laquelle on n'échappe pas tou-jours, c'est que le groupe que l'on appelle le catéchuménat, le groupe qui achemine vers le baptême, se dise : « Eh bien, continuons ensemble. » Autant dire, alors, qu'au lieu de s'introduire dans l'Église, on en ouvre une nouvelle !

Si on veut développer un autre type de relations, il faut que des paroissiens soient déjà présents, dans le groupe et le parcours, dès l'intégration des nouveaux chrétiens. Autrement dit, il faut que ces derniers connaissent quelqu'un de la communauté paroissiale. Pour construire la communauté chrétienne, il faut établir des liens de per-sonne à personne. Ces liens-là ne peuvent exister par décret ! Si on veut que la préparation aux sacrements débouche sur une meilleure pratique ecclésiale, il faut qu'au sein de l'équipe de préparation il y ait des gens « qui ne font rien », des gens qui ne sont ni animateurs ni en formation, simplement des interlocuteurs disponibles, des compagnons disponibles. C'est l'idée des « assistants » dans l'équipe Alpha, ils sont simplement là, sans rien faire de spécial que d'être là pour les participants. Ils pourront être un lien avec le reste de la communauté. Aller à la messe le dimanche pour un nouveau chrétien qui n'a jamais mis les pieds dans une église ou pour quelqu'un qui n'y a pas mis les pieds depuis quinze ans, c'est une démarche très coûteuse, très difficile. S'il ne connaît pas quelqu'un sur place qui le reconnaît ou même qui puisse lui dire : « Je passerai te prendre avant la messe, puis on boira un café ensemble après », nous serons toujours confrontés aux difficultés de l'intégration.

Le lien d'Alpha avec les autres activités paroissiales

Cela m'amène au dernier point : nous n'avons pas seulement besoin d'initiatives diverses pour l'annonce de l'Évangile. Nous avons également besoin de gérer positivement les relations de ces initiatives avec l'ensemble de la communauté chrétienne. L'un des risques que nous courons est la juxtaposition de groupes en tout genre qui n'aient pas de relations entre eux. Cela permet au paroissien du dimanche de dormir plus tranquillement : il sait que d'autres s'occupent de faire ce qu'il ne fait pas. Il est heureux parce que, comme il aime à dire, il fréquente « une paroisse vivante ». Des tas d'activités sont proposées, mais lui, il n'est pas fait pour cela... Alors, je vous le dis pour les parcours Alpha mais on pourrait le dire de quantité d'autres activités, il faut toujours réfléchir à la surface de contact, c'est-à-dire à la capacité de contagion de ces groupes auprès d'une assemblée qui n'a pas forcément été préparée à tout cela.

Comment facilite-t-on la communication entre des groupes et des projets particuliers et l'assemblée paroissiale ? Nous devrons y réfléchir, en tout cas dans le diocèse de Paris, avec les paroisses qui ont institué un parcours Alpha. Avec les curés de ces paroisses, nous nous sommes posé cette question car, pour une part, cette capacité de contact et de contagion dépend aussi de l'initiative du curé. Il peut être simplement un aubergiste tolérant qui vous offre le service minimum : il vous alloue un local avec les clés, l'électricité, le gaz et l'eau courante, mais pas davantage. C'est déjà beaucoup de ne pas être à la rue ! On pourrait faire le parcours Alpha dans les squares, mais le dîner ne serait pas le même…

Le curé peut aussi se dire : « Dans le fond, cela peut peut-être me servir à quelque chose. » Donc, en plus de mettre à disposition la salle, il vous enverra quelques personnes en leur disant : « Peut-être ce genre de rencontres vous conviendra-t-il ? » C'est déjà un pas de plus. Le pas supplémentaire sera qu'il se demande et que beaucoup se demandent avec lui : « Qu'est-ce que cette expérience qui se déroule dans notre paroisse a produit autour d'elle ? » Ne vaudrait-il pas la peine, un jour, de se mettre autour d'une table et de s'interroger sur ce qu'Alpha produit ? Pas simplement dans la logique interne du parcours Alpha, qui a ses grilles d'analyse, de débriefing, mais qu'est-ce que cela change chez nous, dans le style de la paroisse entière ?

Le curé dans sa paroisse peut être un aubergiste bienveillant, un aubergiste encourageant, ou un aubergiste stimulant. On peut se contenter de constater que, dans une paroisse, une cinquantaine ou une centaine de personnes mènent une activité particulière. C'est très beau, cela leur fait du bien, elles sont contentes, elles font un peu de publicité à droite à gauche chez leurs amis. Mais cela ne touche pas ce que font les autres. Ou bien on perçoit, à travers cette expérience, qu'une dynamique s'est mise en route. Peut-être alors sera-t-on encouragé à chercher une articulation qui fera du parcours Alpha un peu plus qu'un simple hôte de notre site internet paroissial. Peut-être Alpha pourra-t-il apporter quelque chose, au-delà des séries de soirées, quelque chose qui touche une certaine approche de la situation dans laquelle nous nous trouvons dans notre paroisse, notre quartier, etc. C'est par la contagion que les choses avancent. C'est ce qui s'est passé à Paris où plus d'une vingtaine de paroisses catholiques proposent un parcours Alpha.

Conclusion

Dans le diocèse de Paris, j'ai invité les paroisses à réfléchir sur leur orientation missionnaire et sur la manière dont celle-ci est partagée par la communauté chrétienne et pas simplement par un petit noyau d'« *aficionados* ». Cette question ne concerne donc pas seulement le parcours Alpha mais tous les moyens que l'on met en œuvre pour réaliser même un léger débordement de notre dispositif habituel.

J'ai eu plusieurs fois l'occasion de le dire : l'Église doit être missionnaire ou elle ne sera plus rien en ce monde. Quand je dis cela, je ne pense pas à un simple problème de diffusion ou de recrutement, comme si nous devions nous employer à faire le plein de nos œuvres et de nos églises. Je pense à la réalité de notre foi. Si nous vivons d'abord la foi comme un produit à « usage interne » pour notre consolation, ou même pour la réussite spirituelle de notre vie, nous nous exposons simplement à la voir se dissoudre ou s'éteindre, comme hélas on le voit trop souvent.

Notre foi ne peut être vivante, vivifiante et donc féconde que si notre communion avec Dieu, célébrée en Église, nous pousse au risque de la rencontre des hommes et des femmes qui nous entourent. « Celui qui a vraiment rencontré le Christ ne peut le garder pour lui-même, il doit l'annoncer ! » (Jean-Paul II, *Novo Millenio Ineunte*, 40, 6 janvier 2001). Comment pourrions-nous être vraiment attachés à Jésus-Christ et à son Évangile, si nous n'étions pas constamment préoccupés de partager la richesse que nous avons reçue ? À quoi bon être chrétiens si notre foi n'a aucun effet sur notre vie ? Et par « notre vie », il faut entendre non seulement chacune de nos existences personnelles mais encore la vie de notre société et de notre monde.

Le Christ n'a pas rassemblé ses disciples pour améliorer simplement leur condition de pêcheurs du lac de Tibériade ou leur pratique des commandements. Il les a appelés pour aller au large, avancer en eaux profondes, et pour devenir des témoins d'une Bonne Nouvelle qui s'adresse à tous. Faute d'entrer résolument dans cette mission d'annoncer la Bonne Nouvelle, nous nous exposons à ne plus croire qu'elle est vraiment bonne et à ne plus en voir la pertinence pour nous-mêmes. Une foi qui ne se propose pas et ne se partage pas est une foi qui se dessèche et qui n'intéresse plus, même les croyants. Le parcours Alpha est une des belles manières d'inviter chacun à avancer vers le large.

Mgr André VINGT-TROIS,
archevêque de Paris

1

Le christianisme : faux, ennuyeux, dépassé ?

I L Y A des jours où tout va de travers dans la vie d'une femme. Au terme d'une journée trépidante, j'espérais la fin de mon calvaire lorsque je suis enfin arrivée à Holy Trinity Brompton – HTB pour les initiés –, complètement « speedée », ébouriffée comme jamais, avec une bonne demi-heure de retard sur mon rendez-vous. Pour un premier, ça la fichait un peu mal.

Mon téléphone mobile était tombé de mon sac lors d'un virage sec, si bien que je n'avais même pas pu prévenir de ce contretemps fâcheux mon mystérieux interlocuteur. Je n'avais pas remis la main dessus au feu, et j'avais dû renoncer à enfoncer profondément le bras sous le siège passager, lorsque j'y avais rencontré une chose gluante et molle qui m'avait poissé les doigts. Un reste de pudding mou que Balthazar, mon chien, avait eu la brillante idée de mâchouiller, et qu'il avait poussé de sa truffe sans pouvoir l'avaler parce qu'il était plein de poils.

Puis le feu était passé au vert sans que je m'en aperçoive. Une colonne de voitures en furie s'était donné le mot pour faire hurler de concert les klaxons et me mettre encore un peu plus la pression j'imagine, comme si ce n'était pas suffisant dans mon état. Je redémarrai en appuyant d'un pied vengeur sur le champignon pour débarrasser le plancher, non sans faire un petit signe crispé qui se voulait gracieux pour m'excuser, mais je ne crois pas qu'il fut alors pris pour ce qu'il était : la voiture derrière moi s'était arrêtée net. Le feu, repassé au rouge, lui intimait l'ordre de stopper, et c'est ainsi que je fus, encore, accompagnée par un cortège de « Tuuut ! » sonores. Ils m'auraient bien volontiers tordu le cou, je pense.

Je n'aime pas arriver en retard, c'est une habitude quasi maladive chez moi, mais malgré mes efforts redoublés, je ne suis que très rarement à l'heure. Ce que je déteste pourtant encore plus, c'est de me présenter sans m'être, comme beaucoup de femmes – rassurez-moi –, « arrangée ». Je tournai le rétroviseur et commençai mon opération de rafistolage avant mon rendez-vous.

J'ai grandi dans une famille unie, entourée d'une affection calme et sereine. Je n'ai pas connu de traumatisme particulier lié à l'enfance ou à l'adolescence. Mon père et ma mère vivent toujours ensemble et ont décidé d'un accord commun de ne se disputer que les jours de pleine lune – et encore, pas trop fort : chez nous, on boude plutôt. J'ai toujours été une élève moyenne, ni trop près du tableau de la maîtresse, ni collée au radiateur au fond de la classe. J'ai eu, pour finir sur ce chapitre, un bac plus deux et me voici, à trente-trois ans, dans une vie que je pourrais facilement échanger avec une autre sans que j'en décèle la différence, tant elle ressemble à celle d'une majorité de nos contemporains. J'attends la quarantaine relativement sereinement pour faire mon bilan. Je verrai bien à ce moment-là s'il convient de changer quelque chose à mon train-train. Je me couche et me lève à heure régulière, j'ai souvent la télé en sourdine qui me sert de radio, je mange tiède et mou. Quand je m'ennuie, je sors pour faire un peu de shopping et voilà tout. Pour autant, je m'aime assez ainsi, ainsi que cette vie en demi-teinte, ou pastel, si vous voulez, qui me va, sans excès dans un sens ni dans l'autre. En somme, je n'aime pas être bousculée, et j'aurais pu collectionner les timbres ou les papillons, si je n'avais pas une passion pour les chiens, qui me le rendent mal comme vous avez pu le voir, car pour ne rien arranger j'en ai deux. Je vais régulièrement au théâtre, au cinéma, j'ai un cercle d'amis que j'apprécie et qui me le rendent mieux que mes chiens – toujours eux. J'aime la mer, la campagne et même la montagne, où je vais de temps en temps pour marcher des heures durant, car je m'entretiens pendant l'année en faisant de la gym une fois la semaine en club. Je lis aussi un livre par mois, hygiène à laquelle je me tiens parce que je ne voudrais surtout pas endosser le reproche de ne pas me « cultiver ».

Côté sentimental, je suis célibataire, ni follement attirante ni repoussante. On pourrait me classer, sur les sites internet de rencontres, dans la catégorie « banale » ou « moyenne », s'il en existait une, mais ça ne serait pas vendeur. Malgré quelques désillusions sentimentales comme nous toutes, je suis comme on dit « bien dans ma peau ». J'accepte la vie telle qu'elle est, avec ses peines et ses plaisirs, et j'ai rangé sans remords, cynisme ou peine démesurée les hommes qui ont traversé ma vie dans le placard aux souvenirs. Exit Paul, John, François et les quelques autres – dont j'ai changé les prénoms car il aurait été trop bas de profiter de cette tribune écrite – qui m'ont parfois tordu le cœur comme une serviette-éponge, mais dont je n'ai plus aujourd'hui à repasser les chemises et qui ne me reviennent en mémoire que pour les bons moments lorsque, par hasard, je tombe sur une chaussette au détour d'un nettoyage de printemps. Le grand amour peut venir, ou pas, je n'en ferai pas un drame et encore moins une maladie. On peut aimer à tout âge si l'occasion se présente. Enfin c'est ce que m'a dit une amie qui avait une amie qui le tenait de son psy. Quant aux enfants, il y en a de suffisamment malheureux comme cela sur la planète pour en adopter un le temps venu.

Pour compléter mon état civil, je dirai que je suis française. Comme je suis bilingue, je me suis expatriée à Londres pour un job stable de secrétaire de direction dans une entreprise pharmaceutique, pour voir un peu de pays. Je ne déteste pas la pluie – ce qui vaut mieux dans la capitale britannique –, je goûte plutôt l'humour anglais – qui s'accorde pas mal à un caractère de « rigolote », peut-être parce que j'ai l'autodérision facile me dit-on –, et je n'ai pas fait des bons petits plats français une religion – ce qui rend possible mon adaptation à la cuisine locale et me fait accepter de tâter du pudding sans me boucher le nez, sauf s'il marine depuis plusieurs jours sous un siège auto. Et puis, avec le tunnel sous la Manche, un aller-retour à Paris est chose facile. Sur le plan financier donc, je gagne suffisamment pour payer mon loyer, espérer être propriétaire en trente ans – il faudra que je m'y mette et moins dépenser en frivolités –, et je n'ai pas assez de crédits sur les bras pour me refuser des vacances lorsque j'en ai envie. Sur ce plan-là comme sur les autres, je n'ai pas véritablement d'angoisses ni de raisons de m'inquiéter pour un avenir auquel, de toute façon, je ne pense que rarement.

En somme, je suis une femme de ma génération, sans angoisse particulière, sans attente démesurée, championne du juste milieu. Je tombe toujours pile-poil dans la moyenne des sondages, toutes catégories confondues. Je prends la vie comme elle vient mais, puisqu'il faut toujours terminer son portrait sur une note positive, j'oserais mettre à mon actif l'humour, une pointe d'impertinence dans le caractère. J'allais oublier ! J'aime bien la musique en général, le jazz en particulier, et j'ai une boîte mail que je consulte tous les soirs. « *By the way !* », comme disent les Anglais pour dire « au fait ! », mon prénom, c'est Christine.

Mais alors, si tout va aussi bien pour moi, que fais-je ici, devant l'église Holy Trinity Brompton, un nom rébarbatif qui ne m'évoque strictement rien et ne réveille pas de vieux sentiments religieux ? Qui plus est une église anglicane alors que je suis de tradition catholique, par mon baptême au moins. C'est ce que je me demande en farfouillant à la va-vite dans mon sac. Et pourquoi, surtout, tant de précautions futiles pour mon apparence puisque ce soir, je ne rencontre pas un homme qui m'aurait invitée à dîner, mais que le numéro de téléphone que je voulais appeler était celui d'un pasteur, ou quelque chose dans ce goût-là, qui avait des responsabilités dans l'Église, et que je vais à une « rencontre » au nom tenant à la fois de l'alphabet grec et de la marque de voiture, mais qui sonne aussi étrangement comme une marque de lessive : « Alpha » ?

Ah ! Émilie ! Que je pestais après toi en ce moment dans ma voiture, pour m'avoir attirée dans l'un de ces traquenards dont tu as le secret ! Et en plus, il pleut, bonjour la permanente. Car tout a commencé « à cause d'elle », ma propre et ma meilleure amie, avais-je dit ce mercredi-là en sortant de mon auto pour aller à mon rendez-vous. Je n'étais finalement pas arrivée en retard, car ma montre s'était cassée et donnait l'heure avec une heure d'avance, la traîtresse ! Alors que maintenant, dix ans après, je dirais sans regret et en la remerciant du fond du cœur : « grâce à elle ! »

Et « grâce », dans les deux sens du terme. Car mon éveil spirituel a commencé comme ça, par le lien de l'amitié dont Dieu aime à gratifier les hommes. Et les femmes, soit dit en passant. Mais il est temps maintenant de rentrer dans le vif de mon témoignage et de vous dire précisément comment tout s'est passé, comment mon cœur tiède est devenu peu à peu bouillonnant. Pour cela, je commencerai par le début, le point Alpha.

Sans avoir de la foi une image négative, j'avais toujours pensé qu'elle prenait trop de place dans la vie des hommes. Comme chacun, j'avais en tête les guerres de religion qui, toutes confessions confondues, avaient la palme en matière de cruauté. Et pourquoi ne pas le dire ? J'avais en mémoire aussi les fastes de l'Église, son apparat, ses erreurs qu'elle ne reconnaissait qu'avec cinq cents ans de retard, ses certitudes, alors que moi je n'avais, même si je vivais tranquillement, que des doutes quand il m'arrivait de me poser des questions. Pour moi, la religion était avant tout affaire « personnelle » et non « communautaire ». Ce en quoi j'ai changé du tout au tout.

Et puis, surtout, comment vouloir suivre ces « gueules de carême », comme je le disais à l'époque quand j'assistais à une cérémonie religieuse vite expédiée, dans le cadre d'un mariage, d'un baptême ou d'un enterrement. Vraiment, elles ne me donnaient pas envie, et leur institution n'était jamais, justement, qu'une institution parmi les autres, ringarde et poussiéreuse qui plus est. Pour couronner le tout, un manque d'humour pour moi rédhibitoire et, surtout, pour soi-disant « attirer les foules », le « symbole » effrayant d'un Christ pantelant sur une croix.

Très peu pour moi. Oui mais voilà. Le hic, c'est que je n'avais pas rencontré Dieu personnellement, et surtout son Fils, qui me fournit les premières lettres de mon prénom : le Christ, dont je devais découvrir qu'il est « *in* ». Et qu'il était mort pour Christine. Pour moi. Émilie, avec qui je partais souvent en vacances, est beaucoup plus discrète que moi et parle moins. Je ne me souviens pas que la religion était un sujet de discussion majeur entre nous, jusqu'au jour où elle s'est, elle, réveillée, puisqu'elle avait été dans sa jeunesse pratiquante avant de plaquer et de se consacrer aux « soucis du monde ». C'était un an avant qu'elle ne me parle d'Alpha. Pendant un an, elle ne m'a rien dit de ses activités « parallèles ». Elle prétendait suivre des cours de français. J'avais bien perçu un changement, mais je l'attribuais, à cause de son silence, à la rencontre de l'homme de sa vie, puisqu'elle avait à peu près le même mode de vie que moi. Et quoi d'autre ? Puis, la semaine précédant mon premier soir, elle s'était ouverte à moi et m'avait dit simplement :

— Christine, j'aimerais que tu viennes à un repas qu'organisent des amis à moi.

J'étais très étonnée. Ses amis, c'étaient les miens. Je ne lui en connaissais pas d'autres.

— Ah bon ? Et qui sont-ils ?

Et j'avais déroulé une liste de proches, puis de copains, puis de relations, puis de connaissances. Au bout du compte, j'avais donné ma langue au chat.

— Non, non. Tu n'y es pas. Tu ne les connais pas. Ce sont des chrétiens, m'avait-elle dit en riant et, me semblait-il, un peu gênée.

— Des chrétiens ?

J'étais baba.

— Oui, des chrétiens. Et des amis. Christine, je t'invite.

— Mouais. C'est ça, ta soirée ?

— Tu peux venir une fois, pour voir. Rien n'est imposé, tu sais. Tu restes parfaitement libre.

— Encore heureux.

— Viens, s'il te plaît. Fais-le pour moi.

— Tu dis que je suis libre, mais tu insistes.

— C'est qu'Alpha a été déterminant dans ma vie.

— Alpha ? C'est le nom de ta secte ?

— C'est le nom du groupe de partage auquel je vais depuis un an. Je ne suis plus la même. Pour tout te dire, ces échanges ont transformé ma vie. Tu es ma meilleure amie, j'aimerais juste te faire partager ça.

J'étais soufflée. Son émotion m'a intriguée. Émilie était quelqu'un de mesuré, pas du genre à s'enflammer pour tout et n'importe quoi. Toujours se méfier de l'eau qui dort, m'étais-je dit. L'anguille sous la roche, ce n'était pas un homme de chair et de sang, mais l'Homme dont la chair avait été crucifiée voilà deux mille ans. Charmant... Se pouvait-il que j'en sache si peu sur Émilie ? Eh bien oui. Avait-elle tourné bigote à l'aube du XXIe siècle ? Eh bien non. Ce soir-là, devant cette église déserte, une personne était entrée, puis deux, puis tout un groupe et encore un autre. Quand il fut 8 heures à mon téléphone, je sortis enfin, cherchant des yeux Émilie que je ne trouvai pas dans le lot.

Je suis arrivée dans l'église, où j'ai découvert un spectacle auquel je ne m'attendais pas. Derrière les murs épais et austères de l'église anglicane Holy Trinity Brompton, des tables étaient partout dressées en lieu et place des bancs rigides pour suivre les offices. Ma première impression fut que c'était très beau. Tout de suite j'ai été sensible à une ambiance bizarre – d'autant plus que je n'étais pas portée sur la liturgie –, mais qui ne me mit pas mal à l'aise, à mon grand étonnement. L'église était éclairée d'une multitude de petites bougies sur les tables, apprêtées comme pour une fête.

Je n'osais toujours pas entrer. Entrer, et pour quoi faire ? Comment se comporter ? Y avait-il un bénitier où il fallait plonger la main pour se signer ? Je n'ai pas eu le temps de répondre à ces questions. L'église, déjà partiellement remplie d'invités, en comptait tout autant audehors qui arrivaient maintenant par vagues. Alors que je me retournais pour faire demi-tour, je fus emportée par le flot des participants et me retrouvai, je ne sais comment, en plein milieu de l'assemblée.

Pour ajouter à ma confusion, des gens parfaitement hétéroclites se saluaient avec de larges sourires. Qu'est-ce que c'était que cette mascarade ? Un bal costumé ? Un homme à l'allure typiquement *British*, très « *City* », qui était, j'en aurais mis ma main au feu, directeur de banque ou quelque chose dans le genre, se laissait taper amicalement sur l'épaule par un punk dans la plus pure tradition, lui aussi, du style anglais. Il portait un jean coupé de partout comme cela se fait couramment aujourd'hui, avec une multitude d'épingles à nourrice surdimensionnées qu'il avait piquées çà et là de haut en bas. Quant à sa crête, difficile de la manquer. Le type devait passer le mètre quatre-vingt-dix au ras du crâne, donc dans les deux mètres dix avec. Il se mit à battre le pavé de sa semelle de rangers, comme s'il fredonnait quelque chose à l'adresse de l'homme impeccablement sanglé dans son costume cravate bleu lavande, qui lui répondait en claquant en rythme des doigts. Je fus secouée d'un rire nerveux. « Ridicule », me suis-je dit.

Une grand-mère quasiment pliée en deux me frôla alors en s'excusant presque de m'avoir bousculée. Elle m'offrit un sourire radieux, signe d'une gentillesse profonde, et, sans même me demander mon avis, m'entraîna plus avant encore dans la travée de l'église, au milieu des tables que quelques personnes garnissaient de bouteilles et de « *starters* », les entrées. Difficile de lui refuser. Je la suivis, de plus en plus interloquée par ce que je voyais. Toutes sortes de personnes se parlaient comme si elles se côtoyaient depuis des années. La grand-mère me laissa seule et continua son chemin, embrassant à tour de bras un Noir, un couple avec ses enfants, des

« minettes » aussi qui ne devaient pas mettre plus souvent que moi les pieds dans une église. Elles avaient des jupes assez courtes, et tout de suite je les ai imaginées comme des « Marie Madeleine modernes »... J'étais ébahie de la variété « sociologique » des gens qui se retrouvaient ici, qui plus est dans une communauté anglicane, qui n'a pas la réputation de briller pourtant par son ouverture... Des farfelus dans l'assistance, mais pas seulement. Des tas de gens ordinaires, comme moi. Des gens très à l'aise, et d'autres qui le paraissaient beaucoup moins, presque inquiets, ou tout à fait, comme moi. Je recherchai dans cette foule – nous étions bien dans les cinq cents – des gens qui se rapprochaient de moi, des gens « normaux » et passe-partout. Il y en avait. Une fois cette première inquiétude surmontée, et bien que je fusse secouée intérieurement de sentiments contradictoires, j'avais moins envie de partir, comme si « quelque chose » m'appelait à rester, à aller au bout de l'expérience. Pour voir... On n'avait pas refermé les portes sur moi, elles étaient grandes ouvertes. Je n'étais pas dans une secte, fallait-il croire, juste une paroisse de briques rouges comme on en voit tant. Le dôme du plafond était rose, presque fuchsia, comme les Anglais les aiment.

Une main se posa sur mon épaule. Je me retournai. Émilie, enfin. J'avais envie de lui passer un savon.

— Désolée pour le retard, me dit-elle avec un sourire radieux.

— Qu'est-ce que c'est que ça ? dis-je, à cheval entre plusieurs sentiments qui se marient mal, la moquerie, la colère, mais aussi, qui me poignait toujours, l'envie d'aller au bout de l'expérience.

— Bah, le repas !

— Oui, mais tous ces gens, tes « amis » ?....

— Oui, mes amis, tu peux le dire. Je ne t'ai pas prise par surprise. Je ne t'ai pas caché qu'ils sont chrétiens. Tu devais bien t'en douter, non : Holy Trinity Brompton, me dit-elle la bouche en cœur.

Je ne pouvais pas dire non, c'était vrai. Elle n'avait pas plus fait de forcing pour me faire venir dans cette église anglicane que moi lorsque je l'attirais pour une séance de gym. Mais j'étais agacée, un agacement irrationnel. J'avais envie de l'« engueuler », c'est ce que je ressentais à l'époque, de lui reprocher toute cette acrimonie qui remontait en moi. C'était idiot. Je n'avais rien d'autre au fond à lui reprocher que mes propres projections, ma vision de « l'Église en général », comme si ma pauvre Émilie était comptable de tous les malheurs du monde. Comme je ne savais plus quoi dire, je me suis laissé faire, goûtant l'ambiance nouvelle pour moi, qui me touchait pourtant par sa grande douceur, pleine de gentillesse. Nous nous sommes approchées des tables, garnies pour rassasier des centaines de personnes. Les petites fourmis, parmi elles « ma » grand-mère, qui allaient et venaient de la sacristie, les avaient toutes dressées : magnifiques, accueillantes, recouvertes de belles nappes blanches dont le drapé retombait jusqu'à la moitié sur la hauteur. Des compositions florales ornaient les tables et leur donnaient des touches de couleurs chatoyantes dans la lumière diaprée des bougies. Le tout était, chose surprenante avec tant de monde, des centaines de personnes, très intime. Les chrétiens auraient-ils le sens du goût, Christine ? Les conversations allaient bon train de tous côtés. Les gens se parlaient sans discontinuer. Je tendais de temps à autre l'oreille. Toutes roulaient sur des sujets banals, de la vie quotidienne. Des propos simples, où n'était même pas évoqué le nom de Dieu.

Puis, tout d'un coup, un orchestre de jazz avait pris place devant l'autel. Il se mit à jouer des standards que je connaissais par cœur. Ce fut ma seconde surprise. Étais-je venue ce soir pour écouter un concert ? Émilie et moi nous sommes assises. Elle fut attentive à ne pas prendre toute la place et ne chercha pas à remplir artificiellement le silence pour me rassurer. Au contraire, elle alla au bout de sa proposition, et me laissa faire, à ma manière, ma découverte de la soirée Alpha. Cette confiance finit par me toucher.

Dans l'église de Brompton, je découvris mon amie autrement, sous un jour nouveau, comme si elle faisait suffisamment confiance à l'« amitié » des convives pour que je trouve ma place sereinement. Ce fut, je dois le dire, le premier cadeau de Dieu que je ne nommai pas encore, lors de cette soirée. Elle se serait arrêtée là que cela aurait déjà été beaucoup. La foi, malheureusement, est trop souvent réduite en une suite d'abstractions compliquées, alors que le premier don de Dieu est l'Autre, dans son humanité. À ma droite, un homme d'une cinquantaine d'années, qui devait être assez pauvre, à tout le moins modeste, mangeait à pleines dents une cuisse de poulet. Quand il leva les yeux de son assiette, nos regards se croisèrent et il avança le plat vers moi en me souriant. Je me servis. Il m'invita à manger, ce que je fis. Nous n'avons pas parlé, nous avons partagé un repas. Me revinrent en mémoire les tableaux des grands maîtres de la Cène. N'était-ce pas précisément ce que j'étais en train de vivre en ce moment ? Non seulement l'atmosphère était paisible et détendue, mais les gens se souriaient. Avec mon tempérament porté sur l'ironie, je décelais facilement les sentiments forcés chez les gens. Rien de tel ici. Que du bon. Que du vrai. Tous ces sourires, eus-je l'impression, venaient de loin. Ils étaient profondément ancrés, ce

34

qu'on appelle le sourire du cœur. Je dois dire que je me suis laissé alors gagner par cette ambiance bienfaisante, malgré moi. Personne ne cherchait à engager la conversation artificiellement. Un petit mot par-ci par-là, pour voir qu'on ne manquait de rien. Ce n'était pas de la politesse de pure forme, genre « passez-moi le sel, s'il vous plaît », pour satisfaire aux conventions, non. Plutôt la proposition continuelle d'une ouverture au dialogue, le cas échéant, et le respect de la timidité. Il me sembla qu'ici chacun pouvait trouver une place, *sa* place, au milieu de la musique, des rires, des conversations sérieuses aussi, sans qu'on cherche à jouer du coude pour convertir à tour de bras. Mais pourquoi toujours ce mot qui me revenait comme un leitmotiv : « ma place » ?

Je ne voyais plus rien à opposer de raisonnable à ces gens qui étaient là, et qui ne demandaient rien d'autre que de partager ensemble l'un de ces moments qui font le sel de la vie. En somme, je vivais là, c'est ainsi que je l'ai pensé, un pur moment de fraternité.

Après le repas, chaleureux comme je l'ai dit, je suis tombée sur un « os ». C'était donc là qu'ils voulaient en venir ! Ils n'avaient pas parlé de Dieu pendant le repas pour mieux vendre leur soupe au dessert... Oh, que j'étais furieuse contre Émilie, lorsque est venu le temps de ce qu'ils appellent l'« exposé », dont l'intitulé était : « Le christianisme : faux, ennuyeux, dépassé ? » « Bonne question », me disais-je intérieurement, pensant avoir trouvé la juste réponse. Mais là aussi, comme pour le repas, je suis allée de surprise en surprise. Ce n'est pas tant le contenu dont je me souviens. Évidemment, en faisant un petit effort de mémoire, ça pourrait revenir, mais c'est plutôt – comment dire ? – l'ambiance que là aussi j'ai retenue. Cela peut sembler un peu paradoxal, mais c'est pourtant ce qui m'est arrivé. Tout d'abord, une première chose qui a contribué à faire tomber mes défenses, fort nombreuses, c'est que je n'ai pas eu à subir un charabia de spécialistes. Pas un moment au cours de cet exposé je ne me suis sentie exclue, comme cela peut être si souvent le cas au cours de conférences. Ceux qui sont intervenus avaient un langage simple, clair, efficace. En un mot, lumineux. Je m'attendais encore à ruer dans les brancards, mais non. Une paix intérieure extrêmement bénéfique m'emplit pendant ce temps, tout à fait incroyable pour moi. Étais-je en train d'être touchée ? Possible… Les personnes qui se sont succédé au micro étaient différentes. Leur univers sociologique aussi. Pourtant, une sorte d'unité se dégageait de tous ces témoignages. Ce n'était pas une homélie paroissiale. Je ne sais pas mieux l'exprimer aujourd'hui, avec les années de recul. Elles parlaient toutes de la même chose, chacune avec ses mots, mais sans rien d'affecté dans le ton et, sur le fond, une fraîcheur à laquelle je ne me serais jamais attendue. Une manière familière, finalement, de parler du Christ. Ces gens ne parlaient pas d'une abstraction, mais d'une personne vivante, comme s'ils en étaient amoureux. Étrange…

À un moment, je me suis sentie « partir en vrille » – c'est comme ça que je dis lorsque je ne contrôle plus mes émotions, ce qui m'arrive rarement. J'avais l'impression de me faire récupérer, et en même temps j'avais envie d'écouter vraiment les personnes qui s'exprimaient, comme si elles disaient vrai. Dans notre monde où le relativisme règne en maître, c'était étonnant, agaçant et, dans le même temps, attirant. Une foule de sentiments contradictoires me traversaient. J'avais une envie folle de partir, mais en même temps de rester. J'avais envie de tordre le cou à Émilie, et dans le même temps de l'embrasser.

Je ne savais plus où j'en étais.

Et c'est précisément au moment où j'avais envie de secouer ma pauvre Émilie pour m'avoir attirée dans ce traquenard, que l'intervenant principal a raconté une petite histoire qui a fait tomber chez moi une grosse barrière :

« Un milliardaire texan, commença l'intervenant, donnait une grande réception dans son ranch. Elle eut lieu autour de la piscine, une vaste piscine avec des mosaïques splendides. Au milieu de la fête, il se lève, demande le silence et déclare : "Mes amis, je vous lance un défi. Je donnerai à celui qui nagera une longueur de ma piscine le choix entre trois récompenses : cinq millions de dollars, ou la moitié de mes terres, ou la main de ma fille. La seule difficulté, de taille, c'est qu'il y a un requin mangeur d'hommes dans la piscine."

« Il a à peine fini de parler, qu'on entend un grand "plouf !". Un jeune homme en smoking venait de plonger, tout habillé. Il commence à nager très rapidement. Au tiers du parcours, l'aileron du requin apparaît, lancé à sa poursuite. Aux deux tiers, le requin n'est plus qu'à quelques mètres. Avec l'énergie du désespoir, le jeune homme redouble d'efforts et, au prix d'un effort surhumain, parvient à sortir de la piscine au moment où le requin, ouvrant large sa gueule, vient se cogner contre le mur de la piscine. Ovation dans l'assemblée.

« Stupéfait, le milliardaire s'avance vers le jeune homme hors d'haleine dans son smoking dégoulinant. "Mon cher ami, lui dit-il, ce que vous avez accompli ce soir est extraordinaire. Personne avant vous n'avait relevé le défi. Je n'ai qu'une parole, voulez-vous cinq millions de dollars ?" Le jeune homme, encore essoufflé, fait non de la tête. "Alors, la moitié de mes terres ?" Le jeune homme répond sobrement : "Non." Le milliardaire se rengorge, avec un grand sourire, il lui dit : "C'est donc la main de ma fille que vous recherchiez." Le jeune homme répond : "Non."

Le milliardaire, vexé, rétorque : "Vous ne voulez ni des cinq millions, ni de la moitié de mes propriétés, ni de la main de ma fille. Mais que voulez-vous donc ?" Et le jeune homme de répondre : "Je veux le nom de celui qui m'a poussé." »

La salle éclata d'un rire massif. Probablement plus fort qu'un autre auditoire, car l'histoire rejoignait beaucoup d'entre nous dans leurs préoccupations. Nombreux étaient ceux qui se demandaient, consciemment ou inconsciemment, comment ils étaient arrivés là. Émilie était pour moi celle qui m'avait jetée à l'eau, sans que j'aie rien demandé. J'ai découvert ce soir-là ce qui m'est ensuite apparu comme une constante d'Alpha : l'humour, allié à une grande délicatesse pour se mettre à la place des invités.

L'exposé a repris, dans une atmosphère détendue, presque familiale, comme l'était la manière familière qu'ils avaient de parler du Christ, et qui se traduisait par quelque chose de l'ordre de la proximité dans la voix. Ces hommes et ces femmes exposaient leur foi comme s'ils avaient dîné avec le Christ la veille ou l'avant-veille, sans complexe, sans débordement excessif, simplement. Beaucoup de légèreté dans tout cela. Les exemples qui étaient pris étaient parlants parce qu'ils venaient de la vie quotidienne. Je n'étais pas en face de Superman, ou de Superwoman, mais de gens comme moi, sans rien de particulier. Des mots tout simples, quotidiens, légers ou graves, à l'image de la vie. Des mots comme l'on en entend si peu dans notre monde froid.

Et là, moi, la « tiède », j'ai senti tout à coup une chaleur bénéfique m'envahir. De la tête aux pieds, j'ai ressenti quelque chose qui s'animait en moi de perdu depuis longtemps, enfoui très profondément. Comme si la voix de l'intervenant qui parlait transportait une parole venue de loin, très loin, juste pour moi : « Voici, je me tiens à la porte et je frappe ; si quelqu'un entend ma voix et ouvre la porte, j'entrerai chez lui, je dînerai avec lui, et lui avec moi », a-t-il dit. Mais, chose étrange, c'est qu'intérieurement, j'ai aussi entendu, très doucement mais très clairement dit : « M'ouvriras-tu, Christine ? » Cette parole de vie ne s'adressait pas à tout un chacun sans distinction, mais elle était prononcée spécialement pour moi.

Sans même comprendre ce que je faisais ou ce que je disais, j'ai dit, tout simplement : « Oui. » J'étais en train de faire, sans pouvoir être capable de nommer ce que je vivais à l'époque, une rencontre du Christ, une rencontre vivante et vraie, qui devait transformer ma vie.

2

Jusqu'aux extrémités de la terre

APRÈS CE TÉMOIGNAGE de Christine, qui reflète tant d'expériences individuelles vécues, je reprends la parole. Pour faire comprendre la dynamique qui se développe depuis quelques années en France, j'aimerais remonter une trentaine d'années en arrière pour dire comment est apparu le parcours Alpha et de quelle manière la méthode s'est progressivement affinée.

À l'origine, une paroisse

Alpha, dans sa forme primitive, est né dans une paroisse, il y a près de trente ans. Cette origine marque toute la démarche. L'idée est venue et s'est développée au sein d'une communauté chrétienne comme tant d'autres. L'assemblée, vieillissante, se réduisait à quelques dizaines de personnes le dimanche. Il y avait une chorale professionnelle qui chantait des hymnes magnifiques. Les bancs étaient sagement alignés les uns derrière les autres.

C'est alors que Sandy Millar, le pasteur principal de Holy Trinity Brompton – l'équivalent du curé –, a compris l'urgence du changement : « Je prêchais en chaire un dimanche devant notre congrégation, constituée à l'époque de quelques dizaines de personnes, plutôt du troisième âge, racontera-t-il. Un jeune homme est entré. Il a fait le tour de l'église, a admiré les vitraux, les mosaïques, le reste du bâtiment, comme s'il visitait un musée. Il n'a pas prêté la moindre attention à ce qui se vivait. Cela lui était manifestement étranger. J'étais désolé de voir que ce qui était si important pour nous ne disait rien à ce jeune. Le dimanche suivant, j'ai dit à l'assemblée : "Mes amis, nous sommes devant une alternative : continuer à faire comme nous avons toujours fait, puis mourir dans la dignité ; ou bien, changer !" » Et ils décidèrent de changer.

Ils ont alors recherché des moyens concrets pour rendre la foi chrétienne accessible au plus grand nombre. Comment faire pour que les chrétiens trouvent les mots pour faire retentir aux oreilles de nos contemporains le message toujours plein de fraîcheur de l'Évangile du Christ ? C'est alors qu'ils commencèrent à organiser des repas dont une description nous a été donnée par Christine. Ils ont appelé ces petites soirées informelles « Alpha », pour bien marquer que ce n'était là qu'une toute première étape d'un parcours dans le domaine de la foi. Au début, il y avait cinq ou six soirées. Avec le temps, ces paroissiens se sont aperçus que la proportion de gens éloignés de l'Église allait croissant, alors que les soirées étaient plutôt conçues au début pour des personnes qui étaient un minimum informées du contenu de la foi chrétienne.

Après quelques années, l'un des jeunes pasteurs de la paroisse, Nicky Gumbel, travaillait auprès de Sandy Millar, auquel il a d'ailleurs succédé comme pasteur en 2005 et est devenu responsable du parcours paroissial. De cinq ou six, les soirées sont passées à dix, avec un week-end d'amitié et d'enseignement à mi-parcours, de plus en plus orientées vers les non-chrétiens ou les gens en recherche. Ainsi entre 1980 à 1992, Holy Trinity Brompton a ainsi proposé trois sessions par an, suivies par une vingtaine de personnes chaque trimestre. Jusqu'ici, rien de très notable, une initiative paroissiale parmi tant d'autres. Des ingrédients pas vraiment révolutionnaires : un repas, un enseignement et un groupe de discussion.

Au début de ce tout premier parcours Alpha, le conseil pastoral était réticent : faut-il vraiment créer une activité nouvelle alors que nos forces sont si limitées ? Pourquoi faut-il aller chercher des gens à l'extérieur, alors que nous avons déjà de la peine à bien nous occuper de ceux qui sont là ? Pourquoi dépenser de l'argent à chauffer l'église chaque mercredi soir pour des personnes qui ne font même pas partie de la paroisse ?... Puis après quelques années, à leur stupéfaction, les membres du conseil pastoral réalisèrent qu'il y avait désormais davantage de gens à l'église le mercredi soir que le dimanche matin. Leur perspective changea, ils réalisèrent que la paroisse était entrée dans une dynamique de croissance inconnue jusque-là. Un second service fut institué le dimanche, de style plus moderne, pour répondre aux besoins des jeunes qui venaient de plus en plus nombreux au travers du parcours Alpha. Puis un service pour les familles fut créé. Comme il n'y avait plus assez de place, la paroisse décida d'aménager la galerie qui surplombait le chœur, pour porter la capacité de sept cents à mille places. Comme cela ne suffisait pas, la crypte fut aménagée, pour que ceux qui ne trouvaient pas de place dans l'église pussent suivre les échanges sur des écrans télé. Des chaises remplacèrent les bancs pour permettre des discussions de groupe à l'intérieur de l'église. Avec le temps, ces services durent être dédoublés. Le service pour les familles et celui pour les jeunes étant archi combles, ils furent chacun dédoublés. Il y a maintenant cinq services chaque dimanche à Holy Trinity Brompton rassemblant au total plus de cinq mille personnes, dont la moyenne d'âge tourne autour de trente ans. Si vous séjournez à Londres un dimanche, passez-y, tous les horaires d'activités figurent sur www.htb.org.uk, le site de la paroisse.

Extension en Grande-Bretagne

À partir de 1992, le parcours Alpha de Holy Trinity Brompton s'est mis à croître de façon exponentielle. D'une vingtaine de participants, le groupe est passé à trente, puis cinquante, cent, deux cents, pour flirter au début du nouveau millénaire avec les deux mille personnes. Je m'empresse de préciser que ce n'est pas le standard recherché : la plupart des parcours fonctionnent très bien avec une douzaine de participants dans un appartement, en utilisant le DVD des enseignements. Mais cette croissance a attiré l'attention sur ce qui se passait. À partir de 1992, les paroisses alentour, qui connaissaient des problèmes similaires de vieillissement et de crise des vocations, ont posé la question : « Comment se fait-il que tant de gens viennent à vous, notamment les jeunes, que nous avons tant de mal à toucher ? » Avec simplicité, l'équipe de Holy Trinity Brompton a passé les topos des enseignements, soigneusement peaufinés depuis dix ans. Ce recueil a été publié en français sous le titre *Les Questions de la vie*. Dans l'esprit, ce texte ressemble aux cours polycopiés que les professeurs d'université publient pour leurs étudiants : moins rigoureux et moins complets qu'un manuel, ils expriment, dans un style oral, le cœur de la pensée de l'enseignant. Les paroisses voisines réalisèrent rapidement que les enseignements ne constituaient pas, et de loin, l'essentiel d'Alpha. Elles ont demandé à comprendre aussi la façon de faire. En 1993 fut organisée la première conférence de formation sur deux jours, axée sur le « Comment ? ». Cette demande de formation a conduit l'équipe de Holy Trinity Brompton à mettre en forme ce qu'elle avait jusqu'ici fait de manière pragmatique. Les formations se sont multipliées, et leur contenu publié en français sous le titre *Le dire aux autres*. La « méthode » a ainsi pris corps. On comprend, en en considérant la genèse, qu'il ne s'agit pas d'un manuel de procédures de contrôle de qualité, mais d'un ensemble d'attitudes pastorales fécondes, découvertes au fil des années par une communauté chrétienne, et transmises avec pragmatisme et générosité.

À partir de là, le modèle devenait facile à transposer, puisque tout était écrit et l'expérience probante. Les parcours Alpha se multiplièrent en Grande-Bretagne. Dans un contexte relationnel difficile et tendu entre les diverses communautés chrétiennes en Grande-Bretagne, des catholiques se sont enthousiasmés pour cette nouvelle manière de proposer l'Évangile. Plusieurs centaines de prêtres catholiques ont ainsi rejoint leurs confrères anglicans dans les conférences de formation, encouragés en cela par le cardinal Basil Hume, archevêque de Westminster et primat d'Angleterre. En 1992, il n'y avait qu'un parcours Alpha, celui de Holy Trinity Brompton. En 1996, cinq cents paroisses avaient emboîté le pas. En 2007, plus de sept mille paroisses, églises et aumôneries proposent Alpha en Grande-Bretagne. Cette croissance évoque celle du bambou chinois, qui grandit de un à deux centimètres par an pendant les quatre premières années, puis, la cinquième, pousse de trente mètres en moins d'un mois.

L'invitation Alpha

À partir de 1997, les centaines de paroisses qui donnaient Alpha en Grande-Bretagne faisaient face à un problème commun : comment inviter dans un cercle plus large que celui de la paroisse ? Comment rendre plus visible l'effort que faisaient ces communautés chrétiennes un peu partout dans le pays pour proposer des lieux de réflexion et d'échange ? Ainsi naquit l'idée de la première « invitation Alpha ». En septembre 1997, toutes les églises de Grande-Bretagne se mirent d'accord pour proposer la soirée d'ouverture de leur parcours Alpha en même temps. Ce soir-là, plusieurs centaines de dîners eurent lieu à travers le pays, suivis de l'exposé : « Le christianisme : faux, ennuyeux, dépassé ? » Les médias nationaux remarquèrent l'événement et suscitèrent plusieurs centaines d'articles. Un quotidien national titra même : « L'Église invite la nation à dîner ! » Le très sérieux magazine *The Economist,* l'un des plus respectés au monde dans son domaine, consacra une pleine page à Alpha en remarquant notamment : « Alpha est un remède puissant pour une Église vieillissante et malade. »

L'expérience fut très encourageante et suscita une nouvelle approche. Les chrétiens peuvent de temps à autre organiser de grands rassemblements, dans un stade par exemple, avec vingt mille personnes autour d'un prédicateur au cours d'une veillée. Dans le cadre de l'« invitation Alpha », il n'est pas rare que vingt mille, trente mille, cinquante mille personnes se rassemblent le même soir, autour d'un même enseignement. Mais comparées au rassemblement dans un stade, les réunions sont très éparpillées, couvrent un vaste territoire et ont donc un champ de rayonnement très large. Ceux qui souhaiteront aller plus loin auront sous la main, si l'on peut dire, la communauté chrétienne locale qui pourra les aider à cheminer et à grandir dans la foi.

Au fil des années, Alpha devint plus visible. En Grande-Bretagne, les églises ont mis des banderoles sur leurs façades pour inviter au dîner. La première campagne eut lieu sur des panneaux de trois mètres sur quatre, offerts par une grande société de vente d'espace. Dans l'une des campagnes, l'une des affiches montrait la photo des pieds d'une jeune femme debout sur un pèse-personne. Le poids affiché était zéro... L'accroche de l'affiche était : « Vous vous sentez vide à l'intérieur ? Venez dîner ! » Et en bas de l'affiche : « Un parcours Alpha près de chez vous... »

Les Anglais ont davantage l'habitude d'afficher des phrases tirées de l'Évangile sur les façades de leurs églises. On le voit un peu partout en Angleterre. Cela peut d'ailleurs occasionner quelques dérapages. On m'a rapporté qu'un pasteur, sans doute distrait, avait affiché à l'extérieur de son église l'apostrophe suivante : « Préférez-vous veiller avec les vierges sages ou dormir avec les vierges folles ? »

En France, les chrétiens ont rarement utilisé les médias. L'une des premières opérations de communication de grande ampleur a été l'organisation des Journées mondiales de la Jeunesse en 1997. Publicis avait prêté son concours à l'organisation de la semaine qui a culminé avec le rassemblement de plus d'un million de jeunes autour de Jean-Paul II à Longchamp. L'agence de publicité avait retenu des phrases très courtes, tirées de l'Évangile : « Aimez vos ennemis ! » « L'espérance ne déçoit pas ! » « Levez-vous ! » Depuis, l'habitude d'initiatives plus visibles est entrée dans les mœurs avec les campagnes pour le denier de l'Église ou pour la rentrée du catéchisme.

Posons-nous la question : la publicité peut-elle faire ouvrir les chemins de la foi ? Peut-on découvrir le visage du Christ sur des affiches de trois mètres sur quatre ? Cela rime-t-il à quelque chose d'annoncer que le christianisme lave plus blanc ? Je ne le crois pas. Les expériences d'invitation Alpha faites dans d'autres pays montrent que personne ne vient à un dîner Alpha parce qu'il aurait vu une affiche. J'ai animé il y a quelques années un parcours Alpha pour une aumônerie d'étudiants en région parisienne, donné dans le beau cadre de l'église Saint-Germain-des-Prés. Les étudiants avaient tenu à faire un tract, tiré à plus de cinq mille exemplaires et distribué à la sortie des cours. J'avais dit mon scepticisme et ma conviction que dans Alpha, ce sont des amis qui invitent des amis, et les amènent au Christ. La « réclame », si sophistiquée soit-elle, n'est pas la manière dont Jésus nous appelle. J'ai fait un petit sondage : à la première soirée, parmi la cinquantaine de participants, qui est venu parce qu'il a reçu un tract ? Personne n'était dans ce cas. Chacun était venu sur l'invitation d'un ami.

Il en va de même pour l'invitation Alpha. Ce ne sont pas des affiches ou des spots télé qui font découvrir le Christ. Mais cette forme de visibilité est un encouragement pour les chrétiens qui se sentent soutenus dans leur effort d'invitation. C'est difficile d'inviter : il faut de l'audace, le sens du contact, la capacité à ne pas être trop affecté par les rebuffades, ou les sourires un peu narquois. La visibilité donnée par la publicité conforte car on réalise que l'on n'est pas seul.

La visibilité médiatique est aussi un encouragement pour les invités. Qu'on s'en réjouisse ou qu'on le déplore, l'argument « Vu à la télé » reste un puissant moteur dans notre société de consommation. On peut faire comme si cela n'existait pas, ne pas en tenir compte. L'attitude Alpha est différente : elle décide résolument de prendre les gens là où ils en sont, sans jugement ni dédain. C'est l'attitude de Paul à Athènes. Il aurait pu publiquement s'offusquer de la profusion avec lequel le panthéisme grec mettait en scène les dieux de l'Olympe. Nul doute que ce juif de Tarse, formé par le meilleur rabbin de son époque, Gamaliel, et doté d'une intelligence acérée comme un rasoir, aurait eu de quoi se gausser devant son auditoire de l'Aréopage. Son tempérament l'y poussait d'ailleurs : « Tandis que Paul les attendait à Athènes, son esprit s'échauffait en lui au spectacle de cette ville remplie d'idoles. » Cela a dû lui coûter de rester patient. D'autant que certains des philosophes d'Athènes, réputés les meilleurs du monde de l'époque, ne s'étaient pas montrés spécialement accueillants : « Que peut bien vouloir dire ce perroquet ? [...] parce qu'il annonçait Jésus et la résurrection. » Paul a choisi de partir de là où en était son auditoire païen : « Debout au milieu de l'Aréopage, Paul dit alors : "Athéniens, à tous égards vous êtes, je le vois, les plus religieux des hommes. Parcourant en effet votre ville et considérant vos monuments sacrés, j'ai trouvé jusqu'à un autel avec l'inscription : 'Au dieu inconnu'. Eh bien ! ce que vous adorez sans le connaître, je viens, moi, vous l'annoncer" » (Actes des Apôtres 17, 16-23).

Cette attitude de prendre les gens là où ils en sont est fondamentale dans Alpha. Dans une époque tellement méfiante devant toute notion de Vérité, avec un grand V, si le logo « Vu à la télé » vaut comme estampille d'honorabilité et peut aider quelqu'un à mettre en marche, va pour « Vu à la télé » ! Pour annoncer le Christ, nous sommes prêts à notre tour à nous sacrifier en apparence au « dieu inconnu » de l'époque et, comme Paul, à prendre notre place debout au milieu du bazar du panthéisme contemporain pour annoncer Jésus et la résurrection. Maintenant, que l'on ne s'y trompe pas. On aurait beau déployer en France les mêmes moyens médiatiques qu'un candidat à l'élection présidentielle, cela ne changerait rien à la manière dont Dieu ouvre la porte de la foi. Jésus ne se promeut pas comme un homme politique, ni comme une marque de shampoing. D'abord, il n'en a pas besoin. Mais surtout, il appelle chaque homme, chaque femme individuellement, par son nom. Nous venons à lui un par un, dans une démarche libre. Personne ne peut en décider pour nous. Personne ne peut faire la démarche à notre place : ni l'ami pour son ami, le mari pour sa femme, l'épouse pour son mari, le parent pour son enfant ou l'enfant pour ses parents. Jésus se révèle dans le silence d'un cœur à cœur, loin du bruit, du show, de la publicité. Les médias ne sont là que pour aider à éveiller l'attention, à appuyer légèrement l'invitation irremplaçable que chacune de nos vies représente quand elle est vécue dans le plan de Dieu.

Jusqu'aux extrémités de la terre

Simultanément, à partir de 1993, Alpha a commencé à se répandre hors de Grande-Bretagne. Langue et culture communes aidant, ce fut d'abord dans les pays de tradition anglo-saxonne : États-Unis, Canada, Australie, Nouvelle-Zélande. Puis en Europe continentale, surtout dans les régions protestantes de l'Europe du Nord : Suisse, Allemagne, Suède, Norvège, Danemark. En ce qui concerne le monde catholique, Alpha avait eu l'occasion de s'acclimater dans certains de ces pays où les catholiques, tout en étant minoritaires, sont nombreux. À cet égard, un travail sur les aspects théologiques avait été fait en Grande-Bretagne et aux États-Unis par des théologiens catholiques. La France fut le premier grand pays majoritairement catholique à s'intéresser à Alpha, suivie plus tard du Portugal et de la Pologne, plus récemment de l'Italie et du Brésil.

L'expansion s'est poursuivie tous azimuts. En Inde, en 2006, par un partenariat avec Billy Graham Organization, quinze mille responsables chrétiens ont été formés à proposer Alpha dans ce pays-continent qui compte désormais un milliard deux cents millions d'âmes, dont moins de 5 % de chrétiens. Quarante-quatre conférences de formation ont été organisées entre octobre et décembre 2006. En Chine, la première conférence Alpha en chinois a été organisée à Hong Kong en 2007. Le matériel pédagogique a été traduit en cantonais et en mandarin. La Chine est l'un des pays du monde où le christianisme est en expansion très rapide – tout en restant ultra minoritaire. Les conversions au christianisme s'y compteraient en millions chaque année. Depuis plusieurs années, Alpha est l'un des principaux outils utilisés par les communautés chrétiennes chinoises pour proposer la foi à leur entourage.

En 2005, a eu lieu, au Caire, la première conférence Alpha en langue arabe, devant six cents délégués, coptes principalement, et d'autres confessions chrétiennes. Je n'ai pas ici la place de parler longuement des cinq parcours Alpha qui, à l'été 2007, sont actifs à Bagdad, en plein enfer de la guerre civile. Je pense avec émotion à Andrew White, le pasteur de la paroisse anglicane de Bagdad, qui a lancé ces parcours Alpha et dont plusieurs membres de la paroisse ont été tués dans l'année. Je songe spécialement aux quatre responsables de son équipe Alpha, partis en Jordanie pour se former dans une conférence chrétienne, et que l'on n'a plus jamais revus vivants après leur retour en Irak. « Si quelqu'un veut marcher derrière moi, qu'il renonce à lui-même, qu'il prenne sa croix et qu'il me suive » (Mt 16, 24). En 2007, il se trouve encore partout dans le monde des chrétiens prêts à prendre au sérieux l'invitation de Jésus à le suivre jusqu'au bout. Quand nous faisons face en France à des difficultés sans nombre pour annoncer l'Évangile, je pense régulièrement à ces visages souriants, lumineux, aux quatre coins du monde, qui continuent d'avancer courageusement. Ils attestent, s'il en était encore besoin, que le Christ, alors que nous annonçons l'Évangile aux nations, est avec nous tous les jours, conformément à sa promesse.

Il aura fallu moins de quinze ans pour que le parcours Alpha soit proposé dans le monde entier, bien au-delà des régions spécifiquement chrétiennes. Quelques chiffres d'abord. Début 2007, il y avait environ trente-cinq mille paroisses, églises et aumôneries qui proposaient Alpha dans plus de cent cinquante pays. Environ huit millions de personnes auraient suivi le parcours. En Grande-Bretagne, la croissance avait été exponentielle. Le nombre de parcours est passé de un à cinq cents sur les six premières années, puis de cinq cents à sept mille les six années suivantes. Maintenant, tout cela, ce ne sont que des chiffres. L'ancien financier que je suis sait bien qu'il y a « plusieurs manières de masquer la vérité : les petits mensonges, les gros mensonges… et les statistiques ». La proposition de la foi n'est pas une affaire de courbes, de taux de croissance et de parts de marché. La découverte du Christ ne peut se produire que dans le secret d'un cœur, par la grâce de Dieu, et dans le plein assentiment de la personne. Néanmoins, les chiffres nous donnent le sens d'une dynamique dont il est intéressant de comprendre les ressorts.

Une telle expansion n'est pas un phénomène unique dans l'histoire de l'Église. Il y a eu régulièrement au cours des siècles des exemples de croissance fulgurante d'une organisation, dont les considérations humaines ne suffisent pas à rendre compte. L'une des mieux documentées est l'expansion de l'ordre cistercien, en Europe, aux XIIe et XIIIe siècles. Entre le moment où Bernard fonde l'abbaye de Clairvaux, fille de l'abbaye de Cîteaux, en 1115 – il a vingt-cinq ans –, et sa mort, trente-huit ans plus tard, en 1153, plus de cinq cents abbayes cisterciennes auront été fondées en Europe, soit plus d'une par mois ! Deux siècles plus tard, il y a plus d'un millier de monastères. Certains parallèles avec le phénomène Alpha sont intéressants à relever. L'Occident chrétien connaît à l'époque de profondes transformations de ses structures politiques, économiques et intellectuelles. L'expansion cistercienne combine la mise en place d'une règle commune, suivie fidèlement, d'une indépendance économique de chacune des maisons, et d'un lien souple assuré par une visite annuelle de l'abbé. Pour conserver toute la richesse humaine de la vie communautaire, lorsqu'une communauté dépasse quelques dizaines de personnes, une partie du groupe essaime pour aller en fonder une nouvelle. L'expansion de Cîteaux est due aussi à la qualité des hommes que l'ordre saura attirer. Le jeune Bernard convaincra de venir avec lui plusieurs de ses amis les plus doués, sans compter son père et ses frères ! Ensemble, ils constitueront un groupe de leaders spécialement talentueux et unis, conduisant l'une des expériences de croissance de l'Église des plus féconde, avec un élan qui dure neuf cents ans plus tard. Beaucoup des mêmes ingrédients se retrouvent aujourd'hui à l'œuvre chaque fois que l'Église se remet dans une dynamique de croissance. Ce n'est du reste guère étonnant si l'on remarque que c'est l'Esprit-Saint qui est à la source de ces expériences.

Quelles seront, en regard de l'expérience cistercienne, la longévité et la postérité d'Alpha ? Nous n'en savons rien, et peu importe. La créativité de Dieu est extraordinaire : dans un même champ, on admire côte à côte le moucheron éphémère, qui naîtra le matin et mourra le soir, le coquelicot, qui durera quelques jours, le mulot, dont l'espérance de vie est de l'ordre de deux ans, le cheval, qui peut vivre jusqu'à vingt ans, l'homme, qui vit quelques dizaines d'années, le chêne, qui peut atteindre mille cinq cents ans, l'olivier, deux mille ans, et le record, le pin de Californie, dont certains sont contemporains d'Abraham, qui dépasse quatre mille cinq cents ans ! Alors Alpha : coquelicot ou pin de Californie ? À la grâce de Dieu.

Les ressorts de l'expansion

Il me semble important en revanche de réfléchir aux ressorts de l'expansion d'Alpha car il y a peut-être là des enseignements à tirer pour d'autres contextes d'Église. Une première raison de l'expansion internationale rapide tient au mode de rayonnement. Alpha n'est pas structuré comme une organisation, dont Holy Trinity Brompton serait le siège mondial. Certes, la paroisse d'origine est un lieu de référence car c'est une communauté phare, qui démontre le rayonnement que peut avoir aujourd'hui une communauté chrétienne pleine de vitalité. Combien de fois ai-je vu des curés ou des pasteurs français venus à Londres, émus aux larmes par ce qu'ils découvraient. L'un d'eux m'a confié : « Je ne pensais pas que c'était possible de voir une communauté comme celle-là. C'est afin de vivre cela que j'ai donné ma vie pour le sacerdoce. » Holy Trinity Brompton n'est pas érigée en centre mondial d'une multinationale de l'évangélisation. Cette paroisse est plutôt considérée par les responsables Alpha du monde entier comme un laboratoire d'expérience dans le domaine de la mission, une boîte à outils d'idées nouvelles. C'est surtout un lieu d'amitié, où il fait bon se retrouver, et où, grâce à l'unité qui dépasse les barrières culturelles et confessionnelles et à la constance dans la prière et dans l'intercession, la présence de Dieu se fait particulièrement sensible.

Une deuxième raison de l'expansion planétaire tient à une combinaison unique d'uniformité et de souplesse de la méthode. Nos amis anglais font un effort constant pour repérer ce qui marche bien sur le terrain et le formaliser. Il ne s'agit pas d'édicter des règles *ex nihilo*, mais simplement de recenser avec précision ce qui fonctionne et de le transmettre. C'est pour moi une expérience passionnante d'échanger lors de notre rencontre annuelle avec nos homologues africains ou américains. Leurs perspectives sont assez différentes. J'ai lu qu'il y a plus de lignes téléphoniques à Manhattan que dans toute l'Afrique : cela illustre les différences de point de vue. Mais nous pouvons facilement nous retrouver et échanger nos expériences. En dépit des conditions très différentes dans lesquelles un parcours Alpha est organisé, dans une case d'un village de brousse au Zimbabwe ou au quarante-cinquième étage d'une tour de Wall Street, la dynamique est la même. Et plus les organisateurs seront fidèles aux principes de la méthode, plus ils seront capables de s'adapter aux conditions locales.

Une troisième raison de l'expansion tient à la culture de cette petite famille Alpha. La dimension prédominante est l'amitié. La culture Alpha est caractérisée par l'humilité, l'humour, le sens de l'effort, la générosité, le sens du service et l'ouverture d'esprit. Ces aspects sont très frappants lorsqu'on vient à Londres. De nombreux visiteurs français réagissent à la personnalité de Nicky Gumbel : « J'étais un peu méfiant, car je pensais trouver un gourou. Sa simplicité et son humilité m'ont stupéfié et rassuré. » Un point essentiel est le refus absolu de toute critique, spécialement lorsqu'elle vise un responsable chrétien. Si les choses doivent être dites, elles le sont toujours en privé, directement à la personne, avec douceur et respect. Cela a été pour moi un ballon d'oxygène extraordinaire par rapport à ce que je connais en France, où la critique est trop répandue, même dans l'Église. Au-delà de leurs différences de culture et de tempérament, les équipes Alpha sont marquées par cette culture et la vivent au quotidien dans leur travail.

Une quatrième caractéristique de la culture Alpha est de mettre constamment le Christ au centre, de ne pas se laisser noyer par les préoccupations d'efficacité ou décourager par les obstacles. Chaque réunion commence et s'achève par un moment de louange et d'intercession et comporte souvent un commentaire, même bref, d'un texte de l'Écriture, qui jette sur la réunion un éclairage particulier. L'intercession est une dimension essentielle, qui sous-tend l'ensemble des activités. À Holy Trinity Brompton, le groupe de prière a une place centrale. Il se réunit deux fois par semaine, le mardi de 7 heures à 8 heures et le jeudi de 19 heures à 20 heures. Chaque fois, cent à cent cinquante personnes se réunissent pour prier, rendre grâce et louer le Seigneur. Au temps où je vivais à Londres, j'étais un adepte de la réunion du mardi matin. Les étudiants y étaient nombreux, et leurs visages encore chiffonnés de sommeil montraient que rien d'autre que le désir de louer Dieu n'était susceptible de les faire se lever aussi tôt. Ils côtoyaient les hommes d'affaires, parfaitement dispos, rasés de près, impeccables dans leurs costumes à rayures, et impatients de rejoindre au plus tôt leur bureau de la City.

Tels sont, à très grands traits, les ingrédients de cette étonnante expansion : un lieu phare, où trouver amitié, encouragements et idées ; un référentiel commun, adaptable à l'environnement de chacun ; une culture accueillante et stimulante ; une remise permanente de Dieu au centre des priorités, par la prière et l'intercession. Voilà quelques éléments clés qui, assemblés et bénis par l'Esprit-Saint, sont étonnamment féconds. Et si, selon l'adage, « il n'est de richesse que d'hommes », il y a là un terreau spécialement fertile qui attire des talents du monde entier. Les personnes qui se sentent attirées vers Alpha pour y prendre des responsabilités portent souvent déjà de lourdes charges professionnelles, associatives ou familiales. Néanmoins, le mélange original des ingrédients dont je tente de rendre compte est attirant pour eux. Il suscite un flux continu de nouveaux « entrepreneurs en évangélisation » qui en embrassent la vision et s'en retournent dans leur pays pour ouvrir un bureau national Alpha, comme Florence et moi l'avons fait, en commençant dans leur garage, ou comme nos amis Elaine et Ray l'ont fait en Nouvelle-Zélande, dans leur abri de jardin.

3

Premiers pas en France

Appel

EN JUIN 1997, mon épouse Florence et moi avons suivi le week-end Alpha. J'avais à l'époque trente-six ans, et depuis l'âge de dix-neuf ans, j'avais fait au Christ une place centrale dans ma vie, bien sûr avec des hauts et des bas. Pour moi, être chrétien, c'est avoir une relation personnelle avec le Christ vivant, et le suivre là où il nous propose d'aller. J'ai découvert, au cours du week-end Alpha, une seconde dimension : la vocation radicale de chaque chrétien à annoncer l'Évangile.

Au moment où le pasteur Nicky Gumbel présentait l'exposé « Comment être rempli de l'Esprit-Saint ? », j'étais très irrité. Il y avait beaucoup de monde, plus de deux cent cinquante personnes, il faisait chaud, et je trouvais l'exposé étrange, faisant appel à des notions que je ne connaissais pas. Je voyais que la salle était gagnée par l'émotion, mais j'étais mal à l'aise. Pour tout dire, j'avais envie de sortir, mais je ne le pouvais pas car j'étais encadré à droite et à gauche par une rangée de gens que je n'osais pas déranger. Je trouvais le temps long. Heureusement, l'exposé a fini. Puis Nicky a proposé à l'assemblée de recevoir l'Esprit-Saint. Il a invité ceux qui le voulaient à mettre leurs mains dans l'attitude corporelle de celui qui désire recevoir quelque chose, les mains en avant, les paumes tournées vers le ciel, ce que j'ai fait avec un peu de réticence. Puis il a invoqué l'Esprit-Saint. D'une manière simple, dépouillée, presque décevante. Non, pas d'éclats de voix, pas d'effets dramatiques, pas d'accents spirituels, il a simplement demandé, à deux ou trois reprises, sur un ton totalement naturel : « Viens, Esprit-Saint ! » Puis après quelques minutes où la salle est demeurée silencieuse, il a proposé à ceux qui le souhaitaient de recevoir la prière.

Je priais en silence quand un jeune homme s'est avancé vers moi, portant le badge jaune des membres de l'équipe de prière. Il était élancé, brun, avec de longs cheveux : Manuel, un jeune danseur mexicain, qui devait avoir dans les vingt-deux ans, m'a demandé si je voulais qu'il prie pour moi. J'ai appris un peu plus tard qu'il n'avait pas trois mois de vie chrétienne derrière lui, il avait découvert la foi lors du parcours Alpha précédent. Il a mis fraternellement sa main sur mon épaule et a prié pour moi à haute voix. Nous sommes restés ainsi pendant cinq minutes. Subitement, alors que nous priions, m'est revenue à l'esprit la phrase vigoureuse de l'apôtre Paul : « Oui, malheur à moi si je n'annonçais pas l'Évangile ! » (1 Corinthiens 9, 16). Je connaissais cette phrase et je la considérais avec inquiétude. Elle m'évoquait les objectifs chiffrés que chacun doit remplir dans la vie des affaires. Gare à toi si tu ne fais pas ton budget ! Comme s'il fallait ramener au bercail son compte d'âmes. Et là, l'appel de Paul retentissait d'une manière toute différente. La phrase revenait en moi, et progressivement, de manière intérieure, la signification s'éclairait. Comme si Dieu me disait : « Je veux offrir ma présence d'amour au monde, à chacun. Je n'ai pas de meilleur moyen que mes disciples pour y parvenir. Veux-tu être l'un de ces canaux par lequel mon amour puisse se déverser sur le monde ? » Je sentais bien que cette question m'était posée en toute liberté. Que quelle qu'ait été ma réponse, Dieu aurait continué de m'aimer autant. Mais en n'acceptant pas d'être canal de grâce, je me serais privé moi-même de l'accès à une source extraordinaire. Ç'aurait été comme de se mettre un garrot sur le bras, qui empêche le sang – la grâce – de circuler. C'est ainsi, en priant aux côtés de Manuel, que j'ai compris ce « Malheur à moi » de Paul comme une révélation que rien n'est plus beau, plus doux et plus indispensable que d'annoncer l'Évangile.

Dans cette salle que quelques minutes plus tôt j'avais envie de déserter, j'ai ressenti un appel fort à consacrer ma vie à annoncer l'Évangile. Il m'a semblé alors indispensable de réordonner mes priorités, et notamment de limiter la place énorme que mon activité professionnelle prenait dans ma vie. J'avais une position intéressante dans une belle banque anglo-saxonne dans la City. Pourquoi ne pas l'abandonner et consacrer notre vie, en couple, à l'annonce de l'Évangile ? Tout cela se vivait intérieurement dans une paix profonde.

Je suis allé voir Nicky Gumbel pour lui faire part de tout cela. Ce pasteur, formé à Oxford, avait lui-même vécu une conversion qui l'avait tiré d'un prestigieux cabinet d'avocat d'affaires, ce qui faisait de lui un bon interlocuteur, capable de comprendre ce qui m'arrivait. Pourtant, quand je lui ai fait part de mon désir de changer radicalement de vie, il m'a répondu simplement : « *Oh ! interesting !* », façon pour un Anglais civilisé de prendre des distances claires avec ce qui vient d'être dit. Puis il m'a demandé : « Êtes-vous marié ? — Oui. — Avez-vous parlé de cela à votre femme ? — Non, cela vient de m'arriver.

— Si j'étais vous, je lui en toucherais un mot… » Je suis allé chercher Florence, un peu plus loin dans la salle, je l'ai amenée devant Nicky et là, je lui ai brièvement raconté ce que j'avais éprouvé. À ma grande surprise, Florence avait vécu quelque chose d'analogue : un appel fort et radical à annoncer l'Évangile, et à le faire en couple. Nicky nous a alors parlé ainsi : « C'est évident que Dieu a touché vos cœurs. Mais ce qui est important n'est pas tellement la manière dont il nous touche. Ce qui compte, c'est le fruit. Rentrez chez vous, ne changez rien à votre vie pour le moment, mais soyez attentifs au fruit. Vous verrez qu'il se manifestera. Et pour la suite, ne vous en préoccupez pas, vous verrez, Dieu ouvrira les portes. » Sur ces mots, nous avons prié ensemble avant de le quitter.

Comme Nicky nous l'avait conseillé, nous avons poursuivi notre vie comme avant, sans rien changer de majeur. Progressivement, nous avons eu le désir de lancer nous-mêmes un parcours Alpha en milieu catholique francophone.

L'expérience d'acclimatation à Londres

Premiers pas : Alpha Jeunes

Le premier parcours que Florence et moi avons donné est un parcours Alpha Jeunes. L'aumônerie du Lycée français de Londres recherchait des animateurs pour les élèves de seconde. Souvent turbulents, ces adolescents avaient pu donner aux catéchètes les plus aguerris le sentiment de revivre chaque semaine l'expérience de Daniel dans la fosse aux lions. Les longues distances, la culture ambiante et les rythmes scolaires avaient fait le reste, et il restait moins d'une dizaine élèves inscrits, et plus du tout d'animateurs. Le curé de la paroisse dont l'aumônerie dépendait, initialement réservé par rapport à Alpha, nous a finalement permis de nous lancer. Nous avons démarré et, en moins d'un trimestre, nous avons vu le fruit. Ce petit groupe de jeunes s'est mis à croître, pour passer de moins de dix à plus de trente en quelques semaines. Pourtant, l'horaire n'était pas commode, dimanche à 17 heures, seul moment où tous les membres de l'équipe étaient sûrs de pouvoir se libérer de leurs obligations professionnelles. Nous avons commencé à entendre les jeunes se dire de l'un à l'autre une phrase assez rare à cet âge pour être soulignée : « Dimanche, viens au caté, c'est super ! »

Les adolescents ont réagi favorablement aux caractéristiques clés d'Alpha : la liberté de venir ou non, l'humour, la joie de partager un repas ensemble, un enseignement donné comme un témoignage et non pas de façon magistrale. Sans compter toutes les animations et tous les jeux développés dans Alpha Jeunes. Plus complexe a été le démarrage des groupes de discussion : il a fallu quatre semaines aux jeunes pour commencer à s'écouter les uns les autres sans moquerie. Mais il faut croire que ce temps central de discussion et d'écoute les a assez « branchés », car nous avons constaté la rapide disparition des problèmes de discipline qui auparavant étaient une vraie plaie, et les ados nous ont vite demandé de faire passer le rythme bimensuel de nos rencontres à un rythme hebdomadaire.

Quelles sont les raisons de cette fécondité ? D'abord, dans sa dynamique, son vocabulaire et dans le choix des sujets, Alpha Jeunes rejoint les préoccupations des adolescents. Trop souvent, même en l'espace d'une demi-génération, le langage devient un obstacle, et les animateurs considèrent, à juste titre, que ce public est spécialement difficile à toucher. C'est pourquoi le manuel Alpha Jeunes a été adapté à eux pour dépasser les obstacles de langage et de « culture ». Nous avons également constaté que se développait une atmosphère telle qu'il devenait beaucoup plus facile de recruter des animateurs. Avec émerveillement, nous avons vu arriver, un à un, plusieurs jeunes professionnels français, âgés de vingt-deux à vingt-cinq ans, une petite dizaine en tout. Ils avaient tous un travail extraordinairement lourd, pour la plupart dans la City. Leur vie sociale et leurs engagements extraprofessionnels étaient souvent réduits à leur plus simple expression. Et pourtant, ils ont répondu favorablement, quoique hésitants, à notre appel, et surtout ils sont restés. Leur présence a été déterminante du fait de la proximité de leur âge avec celui du public. Cela a créé entre nous des liens d'amitié durables, et renforcé ma conviction que, pour témoigner la foi à des jeunes, rien ne vaut d'autres jeunes, à peine plus âgés qu'eux. Alpha leur donnait le cadre qu'il fallait pour s'impliquer. Alpha devient ainsi un moyen de toucher deux tranches d'âge : les adolescents et les jeunes adultes animateurs. Chacun fait un cheminement.

Dès notre premier parcours, nous avons fait l'expérience que l'invitation des participants était un problème à traiter sérieusement. Mettre en place Alpha est insuffisant. Il faut rendre clairement visible qu'une porte est ouverte à tous, pour permettre à chacun de découvrir la foi et la communauté chrétiennes. Sinon, Alpha n'est perçu que comme la énième activité, en concurrence avec les multiples occupations qui s'offrent à un adolescent. C'est pourquoi nous avons mis en place à l'aumônerie une permanence hebdomadaire – le vendredi –, ouverte à tous, où l'on pouvait déjeuner d'un sandwich, offert, en écoutant un intervenant extérieur qui venait parler de sujets intéressant les jeunes : une jeune danseuse slovaque qui a expliqué comment elle glorifiait Dieu par son art ; le responsable d'une ONG spécialiste de l'accès à l'eau potable dans les pays en voie de développement ; un jeune séminariste racontant ses premiers mois de cheminement ; une spécialiste de l'accueil des réfugiés à Londres relatant les difficultés innombrables qu'il faut surmonter pour pouvoir s'enraciner dans une terre d'accueil... Je ne sais s'ils venaient pour le sandwich, l'intervenant, ou leurs copains. Au moment où la sonnerie de rentrée retentissait, ils se levaient d'un bond dans un vacarme de chaises repoussées, de paquets de chips froissés et de canettes de Coca vides renversées. L'un de nous trouvait le moyen de couvrir le tumulte en disant : « Rendez-vous à Alpha dimanche ! » Et beaucoup venaient, confirmant l'intuition que la meilleure invitation est celle qui se fait dans le cadre d'une relation de confiance existante.

Rien de tout cela ne s'est fait facilement. Cela a demandé beaucoup de travail, de coordination, d'imagination. Beaucoup de prière aussi. Nous avons compris que, si nous n'avions que des forces limitées, un temps très compté, une logistique un peu bancale, c'était dans la prière que cela valait la peine d'investir l'essentiel des forces disponibles. Nous l'avons découvert expérimentalement, en réalisant dans ce premier parcours qu'Alpha était d'abord un combat spirituel. Au bout de quelques semaines, je me souviens avoir été très désolé quand l'une des jeunes animatrices m'a confié qu'elle sentait sa foi tiédir, et qu'elle pensait se retirer. La semaine suivante, un autre animateur est venu me dire combien il se sentait inapte. Quand une semaine encore après, une jeune animatrice flanchait, j'ai été pris d'un mouvement de découragement. Puis j'ai eu le déclic : « Tout cela est normal, c'est d'abord un combat spirituel, et c'est normal que ce soient les plus ardents, les plus impliqués qui soient touchés les premiers. Le seul moyen de s'en sortir, c'est la prière. » Malgré les fortes contraintes de temps des uns et des autres, nous avons multiplié les réunions de prière et c'est sur ce socle que le reste s'est édifié.

Alpha en paroisse

Après un an, en voyant les fruits, le curé a décidé de tenter l'expérience au niveau de la paroisse catholique francophone de Londres, Notre-Dame-de-France. Pour planter le décor, c'est la seule paroisse catholique francophone pour un territoire vaste comme la région parisienne. Elle est située au centre de Londres, à Leicester Square, juste à côté de Soho, l'équivalent du Pigalle parisien. Il n'est pas rare de devoir faire plus d'une heure de transport pour s'y rendre. La communauté des chrétiens pratiquants elle-même est hétérogène : elle comprend environ un tiers de Mauriciens, souvent installés depuis longtemps à Londres ; un tiers de ressortissants d'Afrique francophone, les uns solidement installés, d'autres en grande difficulté ; un tiers enfin de Français, expatriés pour quelques années. Organiser un parcours Alpha dans ce contexte était un vrai challenge pour des raisons culturelles et de distance.

Sans parler de la constitution d'une équipe représentant les trois communautés, s'appuyant sur les talents de chacun. Ce n'est pas facile d'identifier les charismes de chacun dans un groupe aussi divers composé de Mauriciens, d'Africains et de Français. Je me souvenais avec un peu d'inquiétude de cette histoire : « Définition du paradis : un Anglais vous y accueille, un Français y fait la cuisine, un Italien y met l'ambiance et un Allemand coordonne le tout. Définition de l'enfer : un Français vous y accueille, un Anglais y fait la cuisine, un Allemand y met l'ambiance et un Italien coordonne tout ça... » Je me demandais : Qu'est-ce que ça va donner chez nous ? La Providence a été bonne et l'équipe s'est constituée, chacun avec son charisme, et grâce à l'arrivée, dans l'équipe d'animateurs, de nombreux jeunes du groupe de prière de la paroisse. La foi et l'engagement de ce groupe généreux et multiculturel ont permis, en restant fidèle à la lettre de la méthode, et en dépit des difficultés, de susciter de beaux fruits.

J'ai le souvenir en particulier de Yann, un jeune homme d'une vingtaine d'années qui a débarqué au premier dîner, impressionnant avec son look crâne rasé, blouson de cuir, grosse moustache à la Vercingétorix. Dans le wagon du métro où il voyageait, il avait entendu deux jolies filles discuter de la soirée Alpha où elles se rendaient. Les trouvant charmantes, il les avait suivies. Il a vu les portes ouvertes, les tables dressées, les gens dîner joyeusement, et s'est installé aussi. Nous avons appris à nous connaître : il menait, seul à Londres, la vie difficile de nombreux jeunes expatriés. Il était cuisinier. Au fil des semaines, il a noué des amitiés solides avec les uns et les autres, et a commencé à surmonter sa timidité. Quand il a cessé de se cacher derrière sa moustache après l'avoir rasée, son beau visage sensible, au regard lumineux, s'est révélé à tous. Progressivement, de semaine en semaine, Yann a découvert la foi, a rejoint l'église le dimanche, le groupe de prière le mardi. Il a coordonné la logistique de la cuisine pour les trois parcours Alpha suivants, pour nourrir jusqu'à quatre-vingts invités ! Il a été baptisé dans la nuit de Pâques deux ans plus tard, avec cinq autres adultes, aussi issus d'Alpha.

Cette première expérience en paroisse n'a pas été facile non plus. Mais elle a achevé de nous convaincre, Florence et moi, qu'Alpha pouvait dépasser la barrière de la langue et de la culture, puisque ce parcours, très *British* à l'origine, avait conquis des Mauriciens, des Africains et des Français. Peu de temps avant notre retour en France, Cynthia, une jeune Mauricienne du groupe, et Yann nous ont annoncé leur mariage. Encore cette capacité d'Alpha à franchir les murailles…

L'année 1999 : « En temps voulu j'agirai vite »

Début 1999, cela faisait dix-huit mois que le week-end Alpha avait eu lieu, pendant lequel Florence et moi avions ressenti un appel intérieur fort à consacrer notre vie à l'annonce de l'Évangile. Dix-huit mois que Nicky Gumbel, en priant pour nous, nous avait dit : « Ne changez rien à votre vie pour le moment. Soyez simplement attentifs au fruit que Dieu y fera surgir. Vous verrez, au bon moment, Dieu ouvrira les portes. » Il est vrai que nous avions vu du fruit dans les deux parcours Alpha que nous avions organisés. Mais de là à dire que Dieu ouvrait grand les portes… Nous avions plutôt le sentiment qu'il ne s'était pas passé grand-chose. Néanmoins, un verset de l'Écriture nous encourageait particulièrement à la patience, que nous avons vu maintes fois se vérifier depuis : « En temps voulu j'agirai vite » (Isaïe 60, 22). De fait, à partir de janvier 1999, les événements s'enchaînèrent de manière étourdissante sur quelques mois. Les portes s'ouvrirent subitement les unes après les autres. Pour en rendre compte aussi factuellement que possible, le plus simple est de reprendre la chronologie.

Janvier

Les deux expériences que nous avions conduites à Londres nous avaient convaincus qu'Alpha pouvait être adapté au contexte français. Mais nous n'avions en France quasiment aucun contact avec des responsables chrétiens. Nous étions des chrétiens ordinaires, connaissant surtout notre paroisse. Gérald Arbola, modérateur de la Communauté de l'Emmanuel, l'une des principales communautés nouvelles françaises, apparues au début des années 1970. Son parcours m'intriguait : il était cadre dirigeant d'un grand groupe industriel français, père de cinq enfants et profondément impliqué dans la vie de l'Église. Comment parvenait-il à concilier tout cela ? À l'automne 1997, juste après le week-end Alpha qui avait suscité en moi tant de questions, je l'avais rencontré une première fois. « Comment faites-vous pour concilier tous ces différents aspects de votre vie ? » Sa réponse, faite dans la foi, m'avait encouragé : « Pour un observateur extérieur, c'est surprenant, mais pour moi, les choses se sont toujours faites naturellement. Un peu comme pour les Hébreux, traversant la mer Rouge à pied sec : de l'extérieur, c'était épatant, mais pour eux, ce n'était pas plus difficile que pour vous et moi de marcher sur le trottoir de l'avenue de l'Opéra... »

J'ai repris contact avec lui en janvier 1999 pour lui parler d'Alpha et voir si le sujet était susceptible d'intéresser la Communauté de l'Emmanuel. Je suis allé le voir à son bureau de Vélizy, le 12 janvier. Il était beaucoup plus pressé ce soir-là que la première fois, et le sujet ne semblait pas trop l'intéresser. L'atmosphère évoquait davantage la relation tendue qui peut parfois s'instaurer entre un banquier d'affaires et un directeur financier de grand groupe, récalcitrant devant une idée trop originale. J'étais coutumier de l'exercice. Peine perdue, Gérald savait se débarrasser des banquiers d'affaires importuns ! Une demi-heure plus tard, je me retrouvais dans le hall glacé de la tour, ayant été courtoisement mais fermement raccompagné.

J'avais commandé un taxi pour retourner à l'aéroport. La neige commençait à tomber. J'ai attendu le taxi quinze minutes, trente minutes, plus d'une heure… Rien à faire, bloqué. À 20 h 30, Gérald Arbola est arrivé dans le hall et m'a dit, ironique : « Vous êtes toujours là ? » Je n'étais plus d'humeur à plaisanter, j'étais glacé, j'avais perdu mon temps, raté le dernier avion qui me permettait ce soir-là de revoir ma famille. J'ai grommelé une réponse. Comme toute la circulation semblait désormais bloquée par la neige, nous sommes remontés à l'étage de son bureau. Il m'a installé dans une salle d'attente minuscule, m'a charitablement offert en guise de dîner un croissant rassis rescapé du petit déjeuner, et une pile de vieux *Paris Match* « pour passer le temps », a-t-il osé me dire. Après encore une heure passée dans ce cagibi, je suis allé le voir, rageur, vers 21 h 30 et je lui ai déclaré : « Nous sommes tous les deux animés d'une même flamme de l'annonce de l'Évangile. Nous sommes bloqués, sans pouvoir faire grand-chose d'autre. Notre conversation de tout à l'heure n'était pas à la hauteur du sujet. Profitons de ce contretemps, et parlons ! »

Il a souri. Nous avons observé, au pied de la tour, les kilomètres de bouchons, causés par la tempête de neige qui maintenant faisait rage. Cela lui a évoqué l'épisode célèbre du dernier entretien de saint Benoît, fondateur des bénédictins, et de sa sœur sainte Scholastique. Il me l'a raconté. Ils ne se voyaient qu'une fois par an. La chronique rapporte :

Le 9 février 543, Scholastique était allée visiter son frère, comme de coutume. La journée se passa en de saints entretiens, et la nuit arriva sans qu'ils s'en aperçussent. « Il est trop tard pour vous retirer, dit la sainte à son frère ; parlons jusqu'à l'aurore des joies de la vie céleste. »

« Que dites-vous là, ma sœur ? reprit Benoît, je ne puis passer la nuit hors de mon couvent. » Scholastique, affligée de ce refus, se pencha sur la table et, la tête entre ses mains, pria Dieu en versant d'abondantes larmes. Sa prière fut si promptement exaucée que le tonnerre grondait déjà quand elle releva la tête, et que la pluie tombait par torrents, bien que le ciel fût auparavant serein et sans nuages. « Qu'avez-vous fait, ma sœur ? » dit l'homme de Dieu. « Je vous ai supplié, dit Scolastique, et vous n'avez pas voulu m'écouter ; j'ai invoqué Notre Seigneur, et voilà qu'Il m'exauce. » Dans l'impossibilité de sortir, Benoît resta par force ; les deux saints veillèrent toute la nuit, s'entretenant du bonheur des élus. Le lendemain, la pieuse vierge retourna à son couvent, et Benoît à son monastère.

Sans vouloir pousser trop loin ce parallèle, Gérald et moi sentions bien dès ce moment que notre rencontre avait quelque chose de providentiel. Nous avons discuté, sans concessions, pendant quatre heures. Vers 2 heures du matin, il m'a dit : « Nous devons tous deux travailler demain, rentrons à Paris avec ma voiture. » Mal nous en a pris. Nous sommes restés coincés sous la neige. Nous avons parlé d'Alpha quatre heures encore ! Je lui ai raconté les merveilles dont nous avions été témoins, tentant de le convaincre de venir à Londres lui-même, ou à tout le moins d'envoyer un représentant à la conférence Alpha qui s'y tenait quatre semaines plus tard. Il m'a déposé au petit matin, vers 6 h 30, à la station de taxis de la place de l'Étoile. Nous avions parlé pendant presque neuf heures d'Alpha, nous étions tous deux pâles, les yeux cernés, pas rasés. Malgré tous mes efforts – et le patronage de sainte Scholastique –, Gérald Arbola n'avait pas consenti même à envoyer un représentant de sa communauté à la conférence de formation qui avait lieu deux fois par an.

Il me rappela trois jours plus tard, au sortir de la réunion du Conseil de la Communauté de l'Emmanuel : « Je leur ai raconté les principaux points de notre conversation. Nous y avons trouvé des réponses à des questions importantes que nous nous posons depuis des années. Nous avons décidé d'envoyer une délégation à Londres. » Plein d'espoir, je lui demandai : « Vous enverrez des membres du Conseil ? » Il me répondit : « L'ensemble du Conseil viendra. Plus nos responsables régionaux, et les prêtres en responsabilité paroissiale. Nous avons fait la liste. Nous serons cent trente personnes, dont quarante prêtres. » Ayant en tête toutes les réticences qu'il avait exprimées, et pensant aux problèmes logistiques, je lui ai dit : « Vous plaisantez ? La conférence a lieu dans trois semaines ! » Il m'a répondu : « Je suis sérieux. Vous verrez, dans la Communauté de l'Emmanuel, nous avons beaucoup de défauts, mais nous sommes disciplinés. » De fait, tous vinrent comme prévu à la conférence de Londres. Les premiers arrivèrent le soir du 10 février, le jour où l'Église catholique fête sainte Scholastique...

Février

La conférence internationale de formation se déroula comme prévu, avec huit cents participants de toutes les nationalités. Au début, les Français, venus en nombre, étaient plutôt réticents. « Ce ne sont quand même pas les anglicans qui vont nous apprendre à évangéliser... » Puis progressivement, les barrières sont tombées. Nouveau problème vers midi, le premier jour, lorsque les prêtres se rendirent compte qu'il n'y avait pas de lieu pour célébrer la messe. Ils en étaient spécialement chagrins en ce jour du

11 février, fête de Notre Dame de Lourdes et Journée mondiale de prière pour les malades chez les catholiques. Je suis allé voir Sandy Millar, le pasteur, et lui ai fait part du problème. Il m'a regardé l'air soucieux et m'a dit : « Que voulez-vous que je fasse ? L'église est pleine. Il y a ici un grand nombre de protestants qui n'ont pas pour la Vierge Marie la même vénération que les catholiques. Il faut que j'y réfléchisse. » J'ai pris sa réponse pour une fin de non-recevoir, et j'étais prêt à retourner vers les catholiques pour leur signifier un *non possumus*. Mais j'ai vu Sandy se recueillir et me répondre presque instantanément : « Bon, essayons. » En un quart d'heure, la crypte de l'église a été réaménagée en chapelle et la messe a pu avoir lieu. Cent cinquante personnes y assistaient, cinquante prêtres concélébraient. Beaucoup de participants étaient émus aux larmes de célébrer l'Eucharistie dans la crypte d'une église sœur. Attirés par la beauté des chants en français, les chrétiens des autres confessions, évangéliques et pentecôtistes en particulier, s'étaient massés derrière la porte et, eux aussi, priaient en pleurant. Dès le début, nous avons pu ainsi constater les bénédictions attachées à la prière des chrétiens lorsqu'ils sont unis. À la suite de ces deux jours, la Communauté de l'Emmanuel nous a demandé de former ses membres. Entre mai et septembre, Florence et moi avons ainsi formé plus de sept cents responsables de l'Emmanuel en quatre week-ends : deux à Paris, un à Lyon et un à Paray-le-Monial.

Quelques jours plus tard, toujours en février, nous avons reçu un appel du père Laurent Fabre, fondateur de la Communauté du Chemin Neuf. Sa communauté a toujours été très ouverte aux autres confessions chrétiennes. Ils avaient découvert Alpha en Angleterre et avaient tenté l'expérience dès 1998, dans la paroisse parisienne de Saint-Denys-de-la-Chapelle, dans le dix-huitième arrondissement, sous la houlette de son curé, le père Jean-Hubert Thieffry. Le père Fabre venait en Grande-Bretagne pour les affaires de la communauté. Nous avons eu la chance qu'il demeure chez nous trois ou quatre jours, pendant lesquels nous n'avons cessé de discuter sur l'annonce de l'Évangile en dégustant les calissons et le vin de Provence qu'il avait apportés. À la fin de son séjour, il nous a invités à former, en une seule session, l'ensemble des membres de la communauté, à l'occasion du rassemblement fêtant son vingt-cinquième anniversaire, en l'abbaye d'Hautecombe, en Savoie, sur le lac du Bourget. Nous avons parlé sous un chapiteau célèbre, la Tente de l'Unité, qui depuis plus de trente ans circule dans la France entière pour accueillir de grandes réunions chrétiennes d'enseignement et de prière. C'est aussi le premier chapiteau mis à la disposition de Coluche au début des Restos du Cœur. Ces deux jours furent marqués par de violents orages. Nous avons parlé au milieu de coups de tonnerre épouvantables. Je dois donner l'impression d'être ultra sensible aux éléments, mais là aussi, il était impossible pour les huit cents participants, dans la violence de cette tempête, de ne pas éprouver le sens de la présence de Dieu. Nous avons découvert au Chemin Neuf un sens particulièrement poussé du service dans l'Église. Aujourd'hui, nombre de ses membres et anciens membres sont engagés dans Alpha et y apportent une contribution précieuse.

Mars

Un soir du mois de mars, Florence et moi dînions dans la cuisine. Les enfants étaient couchés. Revenant sur les événements des dernières semaines, Florence me disait : « C'est incroyable comme les choses sont allées vite. Il y a deux mois, nous ne connaissions personne, et voilà qu'en quelques semaines les portes s'ouvrent avec deux grandes communautés nouvelles.» Nous ne connaissions alors presque rien du monde du Renouveau français. Notre famille spirituelle était plutôt les frères et sœurs de la Communauté Saint-Jean, que j'avais connus quasiment depuis leur fondation en 1975. La Communauté Saint-Jean a été fondée par un dominicain, le père Marie-Dominique Philippe. Je dis à Florence : « Le paradoxe, c'est que nous ne leur avons pas parlé d'Alpha. Il faudrait en parler au père Marie-Dominique. Mais il est trop occupé, car il voyage beaucoup à travers le monde pour visiter les fondations, malgré ses quatre-vingt-cinq ans et sa santé fragile. Le seul moyen serait de rester bloqué avec lui une nuit dans une tempête de neige ! » Je le connaissais depuis longtemps, mais de loin.

Moins d'une semaine après cette conversation, Florence a reçu un coup de téléphone du secrétaire du père Philippe, premier et dernier appel que nous ayons reçu de lui en vingt-cinq ans : « Le père Philippe est souffrant. Il a quasiment perdu sa voix depuis des années. Les médecins craignent une maladie grave de la gorge. Il doit venir à Londres pour rencontrer un spécialiste. Peut-il demeurer chez vous ? » Interloquée, Florence a demandé : « Quand ? — Nous pourrions arriver demain matin. » Florence a tenté d'expliquer que la maison était mal chauffée, notre ballon d'eau chaude à peine bon à alimenter une demi-douche, et qu'avec de tout petits enfants l'atmosphère serait loin de la sérénité d'un couvent... En vain. Ils arrivèrent le lendemain matin à quatre et repartirent presque aussitôt à l'hôpital. Ils revinrent à trois, les médecins ayant imposé une opération immédiate. Sans que nous ayons été vraiment consultés, notre salon fut débarrassé de tous ses meubles, transformé en chapelle, et nos amis religieux se mirent en prière.

Le diagnostic des médecins était encourageant. Mais il fallait que le père Philippe reste en convalescence pendant six jours à Londres pour que sa gorge puisse cicatriser. Bloqué chez nous, et sans pouvoir dire un mot ! Nous avons probablement abusé de sa fatigue et de sa patience, mais je dois dire que durant ces six jours, il a beaucoup entendu parler d'Alpha. J'avais souhaité passer une nuit bloqué sous la neige avec lui. Nous avions maintenant six jours, et la seule chose qu'il pouvait faire, c'était d'écouter, alors qu'un dominicain, un frère prêcheur, c'est plutôt là pour parler ! Mais nous avions là un hôte spécialement réceptif. Ces six jours, si l'on met un instant Alpha de côté, ont été six jours de grâce, où la prière rythmait la journée. Ce qui m'a le plus impressionné, c'est que notre hôte passait plus de cinq heures par jour en prière. Les moments que j'ai eu la chance de passer en priant à ses côtés m'ont encouragé à puiser dans l'oraison toutes les ressources que Dieu nous offre pour être plus présents au monde.

Le dernier jour de cette convalescence était un dimanche. Nous avons proposé au père Philippe de venir à Holy Trinity Brompton au service de 17 heures, au moment où les jeunes sont les plus nombreux. Malgré la réticence des frères qui craignaient pour sa santé fragile, il a accepté en disant : « Pour une paroisse, je suis prêt à tout faire. » Nous sommes arrivés juste à l'heure, alors qu'il faut, pour avoir de la place, arriver généralement vingt minutes avant. L'église était bondée, la louange avait déjà commencé : « Viens, ne tarde plus, adore, viens ne tarde plus, donne ton cœur, viens, tel que tu es, adore »... L'équipe d'accueil nous a gentiment dit : « C'est plein comme un œuf. Il n'y a plus de place que dans la crypte, devant les écrans de télévision. » Nous avons insisté, en expliquant qui était notre visiteur. Ils sont allés voir, et ont réussi à trouver huit places au premier rang. Les instruments de musique étaient spécialement nombreux ce soir-là : batterie, basse, guitares électriques, clavier et orgue, jouant à fond. Trois jeunes chanteuses ravissantes, âgées d'une vingtaine d'années, entraînaient l'assemblée dans la louange reprenant les mots du prophète Malachie : « Purifie mon cœur, rends-moi aussi pur que l'or et l'argent... Feu du fondeur, je n'ai qu'un désir, être saint, mis à part pour toi, Seigneur. Oui, je choisis d'être saint, mis à part pour toi, mon seul maître, et prêt à t'obéir. » Les religieux sont entrés par l'allée centrale, comme s'ils entraient en procession, trois robes de bure grise, derrière un petit homme revêtu de l'habit blanc des dominicains, marchant les mains jointes, comme indifférent à l'ambiance survoltée au milieu d'un millier de jeunes habitués à la tradition de louange évangélique, recueilli en lui-même, s'avançant d'un pas à la fois résolu et fragile vers l'autel de Dieu. Spectacle saisissant qui donnait en un flash une image de la sainteté et de l'unité de l'Église.

Le père Philippe écoutait les chants de louange, les mains toujours jointes, les yeux fermés, la tête légèrement inclinée du côté de Florence qui lui traduisait les paroles : « Car Dieu est un Dieu puissant, Il règne de son saint lieu, avec sagesse, amour, oui, Dieu est un Dieu puissant... » Certains des frères semblaient trouver cela trop bruyant et regardaient autour d'eux l'air surpris, lui priait en silence sur le chant de louange : « Mon cœur t'appartient, et je cherche le tien. Prends ma vie, Seigneur, conduis mes pas... » Les choses se corsèrent ensuite. Un prédicateur extérieur avait été invité ce soir-là. Un Américain, dont le style de prédication pentecôtiste était très éloigné de la prédication classique de Holy Trinity Brompton, dont les exposés Alpha sont un bon exemple. Puis l'orateur déclara en plein milieu de son prêche que Dieu lui donnait une vision prophétique qu'il se mit à commenter en direct. Il parlait avec de grandes clameurs, à quelques mètres de nous. Les frères de Saint-Jean étaient carrément mal à l'aise, bien qu'ils ne fussent pas très éloignés en âge du reste de l'assemblée. L'un d'eux me dit : « Je ne comprends pas tout ce que ce monsieur raconte, mais j'ai l'impression qu'il a beaucoup de visions… » Intérieurement je me disais, en pensant au père Philippe : « Nous avons eu tort de l'amener. Il est fatigué. Tout cela va plutôt être un contre-témoignage. » Cahin-caha, nous sommes arrivés à la fin du service qui a duré près de deux heures.

Dans la voiture que je conduisais pour les ramener à la maison, il y eut d'abord dix minutes d'un lourd silence. Puis l'un des jeunes frères prit la parole, d'une manière ironique, qui ne fit qu'ajouter à mon embarras : « Alors, mon père, c'était une expérience, n'est-ce pas, ce que Marc et Florence viennent de nous faire vivre ! » Le père Philippe prit la parole. C'était la première fois depuis une semaine. Sa voix était encore fragile, mais il dit avec netteté : « Ce n'était pas une expérience. C'était beaucoup plus qu'une expérience : vous aviez là des centaines de jeunes, les barrières étaient tombées entre eux, leurs cœurs étaient tout entiers tournés vers le Christ. Ce n'était pas une expérience, c'est le cœur de la vie chrétienne que nous avons vécu ce soir. Et ce devrait être le cœur de votre vie de religieux. Et maintenant, nous allons rentrer chez Marc et Florence, et nous allons faire la liste des prieurés de la Communauté où nous allons pouvoir commencer Alpha. » Le lendemain, ils repartirent en France. Au moment de saluer Florence, les yeux du père Philippe brillaient joyeusement derrière ses verres à double foyer, il lui prit le poignet, du geste amical qui lui était familier. Il lui dit en souriant malicieusement : « Ça ne sera peut-être pas aussi flamboyant qu'ici. Mais on va essayer ! »

Sept ans plus tard, le 2 septembre 2006, le cardinal Philippe Barbarin, archevêque de Lyon, présidait la messe d'obsèques du père Philippe. Il le cita dans son homélie : « Le *vir evangelicus* suit le Christ. Il ne s'agit pas de savoir s'il est contemplatif ou actif, puisque le Christ était les deux à la fois : un être tourné vers le Père et entièrement donné à ses frères. *"Vir evangelicus"*, voilà pour nous l'expression essentielle. »

Avril

En avril eut lieu la première conférence Alpha jamais organisée en France. Elle eut lieu dans la Sarthe, en pleine campagne, dans le centre spirituel Notre-Dame-du-Chêne, à l'invitation du père Dominique Auzenet, son recteur, qui avait pris soin de venir préalablement passer trois jours à Londres. Le lieu ne nous était pas inconnu : il se trouvait à quinze kilomètres de La Flèche, le lieu où Florence avait grandi. Et à cinq kilomètres de l'abbaye Saint-Pierre de Solesmes, le lieu où, dix-sept ans plus tôt, j'avais fait une rencontre décisive avec le Christ vivant et j'avais décidé de lui remettre ma vie. À la fin d'une retraite prêchée par le père Philippe… Nous avions passé les semaines précédentes avec Florence à traduire et adapter les exposés. Il n'y avait que cent cinquante places, nous n'avions guère fait de publicité, mais le week-end afficha rapidement complet. À notre grande surprise, des responsables nationaux de toutes les sensibilités étaient là. Les uns perplexes, les autres ravis, et au-delà des différences de sensibilité et d'origine, le même sens de l'unité que ce que j'avais si souvent perçu à Holy Trinity Brompton. Florence et moi nous sommes succédé sur l'estrade pendant deux jours pleins. Pendant que l'un parlait, l'autre allait dormir. Nous avons eu pendant ce week-end diverses conversations passionnantes.

Un échange restera pour toujours gravé dans ma mémoire. À la fin de la conférence, un couple d'une cinquantaine d'années est venu nous trouver. Ils se sont présentés : Yves et Lyliane Caillaux. Lui était diacre permanent. Tous les deux, vers l'âge de vingt ans, s'étaient senti appelés à une vie entièrement consacrée à l'annonce de l'Évangile. Ils avaient suivi le cursus de l'École de la foi, fondée en 1969 par le père Jacques Loew à Fribourg, qui a été par la suite le modèle de nombreuses écoles d'évangélisation à travers le monde. Lyliane et Yves étaient d'inlassables prédicateurs de retraites, notamment des retraites de guérison du cœur. Ils avaient aussi un ministère d'enseignement de la Bible par la radio qui a été largement diffusé dans toute l'Afrique, radio Timothée. C'étaient des apôtres ardents, infatigables, audacieux. Nous ne les connaissions pas. Leur enthousiasme nous a saisis. Yves nous a dit : « Cela fait plus de vingt ans que nous attendions quelque chose comme cela. Il y a une onction extraordinaire dans ce que vous nous avez dit ce week-end. Soyez persévérants. Ce sera difficile, mais tenez bon, c'est le début de quelque chose de grand. » Ils ont continué sur ce mode pendant dix minutes, puis nous avons dû nous séparer. En rentrant chez eux, Yves a perdu connaissance. Les médecins ont découvert une tumeur au cerveau. Il est mort quelques semaines plus tard. Nous pensons souvent à lui, spécialement dans les moments de surchauffe. Peu de temps avant sa mort, Yves a eu une vision intérieure du Christ. Jésus lui montra, comme un diaporama, des moments de sa vie où il avait été le plus héroïque : le SDF qu'il avait ramené chez lui, les sacrifices familiaux, les fatigues, le baiser donné à un lépreux. Et Jésus lui dit : « Tu vois, Yves, tout cela, je ne l'exigeais pas de toi. Si tu n'avais rien fait de tout cela, je t'aurais aimé de la même manière. » C'est un épisode auquel je songe souvent, lorsque nous risquons de tomber dans l'activisme. Au petit matin du 19 mai, jour de la Saint-Yves, un orage éclata, la foudre tomba non loin de la maison où sa famille et ses amis veillaient sur lui. Réveillés par la tempête, ils s'assemblèrent autour de lui pour chanter les psaumes. C'est ainsi qu'il remit son âme à Dieu. Pendant ses semaines d'agonie, il disait à sa femme et à ses filles : « Cette histoire d'Alpha, c'est important. Il faut les aider, ce sera difficile. Mais c'est important pour ce pays. »

Août

Nous étions très heureux d'avoir vu trois grandes communautés nouvelles s'enthousiasmer pour Alpha, et démarrer des parcours dans des paroisses dont elles avaient la charge. Le fait que trois communautés si différentes d'origine, d'inspiration et de style prêtent une telle attention à Alpha était en soi remarquable. Mais l'enjeu était bien au-delà. Il était dans les milliers de paroisses ordinaires qui peinaient du point de vue de l'annonce de l'Évangile. Nous ne connaissions rien à la réalité du terrain. Comment réagiraient-elles ? Avaient-elles les équipes nécessaires ? Comment les atteindre ? Au fur et à mesure que cette dynamique se confirmait, il nous semblait urgent, du point de vue catholique, que les évêques fussent informés. Nous n'en connaissions aucun.

Nous avons rencontré un jeune historien de trente-six ans, Ludovic Laloux, qui terminait sa thèse de doctorat d'État sur le renouvellement de l'apostolat des laïcs en France depuis Vatican II. Elle serait publiée quelque temps plus tard, sous un titre dans lequel nous nous retrouvions assez bien : *Passion, tourment ou espérance ? Histoire de l'apostolat des laïcs en France depuis Vatican II.* Il s'intéressait à Alpha, qui était l'un des plus récents aspects de son sujet. Nous eûmes avec lui des échanges fructueux, qui nous permirent de nous situer dans le paysage ecclésial français et de comprendre plus précisément les enjeux. Il nous recommanda de rencontrer un jeune évêque, ordonné quelques mois plus tôt, dans son paisible diocèse de Moulins, Mgr Philippe Barbarin. « Vous verrez, il est sympa et accessible. Et puis c'est un coureur de marathon… »

Notre première rencontre avec un évêque français eut lieu à l'évêché de Moulins le 10 août. Mgr Barbarin nous écouta attentivement. Il notait soigneusement ce que nous lui racontions d'une écriture serrée sur un cahier d'écolier, dont il noircit des pages pendant cet entretien. Son visage était concentré, il nous laissait parler librement, posant de temps à autre une question qui montrait qu'il était entré dans le sujet. Contrairement à notre attente, il n'engagea pas vraiment le dialogue. Il ne réagit pas particulièrement à ce que nous lui avions confié, ne nous donna pas de conseils. Son rendez-vous suivant était arrivé, et une heure et demie plus tard, nous nous retrouvions, perplexes, dans les rues de Moulins : qu'avait-il pensé de tout cela ? Quel enseignement tirer de cette rencontre ? Et si lui était considéré comme « accessible et sympa », comment allaient réagir les autres évêques ? Plusieurs années après notre première rencontre, il nous a confié combien celle-ci l'avait touché, notamment en réveillant ce souvenir personnel ancien. En ouvrant l'une des conférences de formation à Lyon, Mgr Barbarin révéla qu'il avait découvert Alpha à Londres, plus de vingt ans auparavant. Tout jeune prêtre, il était rentré par hasard à Holy Trinity Brompton, avait rencontré son pasteur et on lui avait expliqué Alpha. Il s'était dit : « Quelle chance ils ont d'avoir découvert cela. Dommage pour nous, car nous ne pourrons sans doute jamais bénéficier de rien de tel… »

À Paray-le-Monial où nous donnions une session de formation, nous eûmes l'occasion de croiser plusieurs évêques. Aucun ne nous prêta attention plus de quelques instants. L'un d'eux, au soir du 14 août, m'interrompit sans aménité : « Je ne peux rien pour vous. Vous n'avez qu'à en parler au cardinal Lustiger. » Découragement : nous avions quasiment échoué à ouvrir un dialogue avec les autres évêques, et voilà que celui-là nous renvoyait vers celui qui me semblait le plus inaccessible, l'archevêque de Paris. Néanmoins, à défaut d'être aimable, sa remarque s'avéra prophétique. Le lendemain, 15 août, à Paray-le-Monial, le cardinal Jean-Marie Lustiger célébrait la messe devant quatre mille à cinq mille personnes. À la fin de la célébration, il sortit, coiffé de sa mitre, sa crosse en main, saluant la foule massée derrière les barrières de sa manière chaleureuse, souriant à l'un, échangeant quelques mots avec un autre, bénissant un troisième. Au moment où il passait devant nous, quelqu'un nous signala à son attention. Il s'arrêta, s'approcha et, en nous scrutant, nous demanda : « Vous êtes Marc et Florence ? » Nous répondîmes en rougissant. « Alpha, c'est vous, n'est-ce pas ? demanda-t-il d'un air grave. — Oui. — Alors, venez me voir à Paris dès que vous pourrez. » Puis il poursuivit sa route.

Septembre

Le rendez-vous avec le cardinal fut fixé au 11 septembre. Nous habitions encore à Londres. Le voyage d'aller fut un désastre. L'Eurostar était tombé en panne et nous sommes arrivés avec un retard de six heures, ajoutant encore à notre inquiétude. Notre dossier était à tout le moins délicat : Alpha était né hors de l'Église catholique, dans un contexte culturel différent ; nous étions des laïcs, sans formation théologique, nous ne vivions pas en France, n'avions de contact avec aucun évêque. Et nous avions organisé plus de dix week-ends de formation Alpha qui, en neuf mois, auraient touché en France près de trois mille animateurs, dont cinq cents prêtres. Et nous avions agi sans mandat, de quoi redouter un coup de crosse ! Pour préparer le terrain, nous avions envoyé la veille un fax reprenant les principaux éléments sur Alpha, sur nous-mêmes, et sur les principales étapes de la chronologie.

Le cardinal entra dans le salon de l'archevêché où nous avions été introduits. Âgé alors de soixante-treize ans, il était la figure dominante de l'épiscopat français, et un ami proche, conseiller écouté de Jean-Paul II. J'ai rencontré dans ma vie professionnelle beaucoup de grands patrons. J'ai aussi eu la chance de côtoyer des hommes et des femmes de prière. Quand le cardinal Lustiger parut dans l'embrasure de la porte, j'eus la sensation immédiate de cette combinaison rare d'un homme de prière et d'un grand patron. Il tenait notre lettre à la main. Après nous avoir salués, il nous dit : « Votre lettre pose deux questions distinctes : celle du développement d'Alpha en France, et celle de votre sainteté personnelle. Parlons des deux, si vous le voulez bien. » Sur Alpha, il fut encourageant, tout en insistant sur l'importance de travailler en communion. Il nous aida aussi à prendre de la hauteur : « L'important n'est pas de savoir s'il y aura cinquante ou cent parcours dans dix-huit mois. Vous évoluerez dans une Église de France qui aura d'ici huit ans perdu 90 % des effectifs des prêtres qu'elle avait il y a cinquante ans. Son tissu est fragile. Selon la manière dont vous vous y prendrez, Alpha sera bénéfique, ou au contraire nuisible. Nous sommes, je le sens, à la veille d'un renouveau, comme notre pays n'en a pas connu depuis des lustres. Tous les grands mouvements de renouveau mettent des dizaines d'années à se développer, et à porter du fruit, souvent soixante ou soixante-dix ans. Il convient de vous situer dans cette perspective. » Cette remarque m'a surpris d'abord, mais je m'y suis accoutumé depuis. Regarder les choses sur cette échelle de temps force au recul, au détachement et à la compréhension que c'est Dieu qui est aux commandes.

Sur un plan pratique, le cardinal nous a dit qu'il suggérerait au Conseil permanent de la Conférence des évêques de France la nomination d'un comité *ad hoc*, chargé de préparer un rapport à l'assemblée générale annuelle des évêques de France à Lourdes, début novembre. Ce comité a été effectivement nommé quelques jours après notre entretien. Sa composition même reflétait la variété des problématiques suscitées par Alpha d'un point de vue catholique : Mgr Michel Dubost, évêque aux armées, président de la Commission épiscopale de la catéchèse et du catéchuménat ; Mgr Gérard Daucourt, évêque d'Orléans, membre du Conseil pontifical pour l'unité des chrétiens, spécialiste des questions œcuméniques ; Mgr Pierre d'Ornellas, évêque auxiliaire de Paris, un théologien respecté, directeur de l'École Cathédrale du diocèse de Paris et membre de la Commission doctrinale des évêques de France. L'un d'eux, au cours du travail de dix-huit mois que nous eûmes avec eux, nous dit : « Il est providentiel qu'une telle commission ait été nommée si rapidement. D'autres groupes en France ont attendu cela pendant des années. »

Le cardinal Lustiger nous avait annoncé vouloir traiter un second sujet, celui de notre sainteté personnelle ! C'était la première fois, je dois dire, que quelqu'un nous posait le problème en ces termes. La conversation a pris un tour plus personnel, qu'il n'y a pas lieu d'évoquer ici. Mais je ne crois pas trahir de secret en transmettant, en substance, ce qu'il nous a dit ce soir-là. « Peut-être, continua-t-il, que le projet dans lequel vous vous lancez aura beaucoup de succès. Peut-être que ce que vous avez introduit en France est un raz-de-marée qui va tout recouvrir. Mais vous-mêmes, malgré cela, risquez, si vous n'y prenez pas garde, de rater votre rencontre person-nelle avec le Christ. Or c'est cela la chose la plus impor-tante. J'ai souvent connu dans ma vie des cœurs généreux qui se sont ainsi trompés de combat. » Il y a là un conseil précieux pour tous ceux qui répondent avec ardeur et fidélité à l'appel qu'ils entendent de s'engager dans un apostolat. À plusieurs reprises dans les années qui ont suivi, j'ai eu l'occasion d'en constater le caractère judicieux. Cette rencontre a été pour nous, à titre per-sonnel, belle et exigeante. Elle a aussi clairement été un tournant pour l'entrée d'Alpha dans le monde catholique français.

Octobre

En octobre, nous avons fait l'expérience très impres-sionnante d'une conférence Alpha de deux jours devant trois cents prêtres français. Les trois premiers jours de la retraite avaient été prêchés par le père Raniero Cantalamessa, prédicateur de la Maison pontificale depuis près de vingt ans. C'est lui qui, chaque année, prêche la retraite de l'Avent et le Carême au pape et aux cardinaux. C'est un capucin italien, rempli de la joie communicative de l'Esprit-Saint, sur lequel il a d'ailleurs écrit un fort beau livre, *La Sobre Ivresse de l'Esprit.* Il était pour nous très difficile de prendre la parole après un tel prédicateur. Et ce d'autant que nous étions sûrs que la plupart des participants étaient venus pour l'entendre lui, plutôt que nous. Le père Cantalamessa a introduit Alpha de manière chaleureuse. Quelques années plus tard, devant des délégués des équipes Alpha du monde entier, il en parlerait ainsi :

Les Églises qui ont une forte tradition dogmatique et théologique, comme l'Église catholique, se trouvent parfois en difficulté, à cause de la richesse et de la complexité de leur doctrine, quand il s'agit de s'adresser à une société qui, à un très large degré, a perdu sa foi chrétienne et qui a besoin par conséquent de reprendre les bases à zéro. C'est-à-dire de redécouvrir Jésus-Christ. Il me semble que nous manquons toujours d'outils adaptés pour faire face à cette nouvelle situation. C'est la raison pour laquelle je considère le parcours Alpha avec sympathie et intérêt, car il me semble qu'il répond précisément à ce besoin. Son nom lui-même le montre. Il ne s'appelle pas « parcours Alpha et Oméga », comme aurait pu le suggérer Apocalypse 1, 8, mais simplement « parcours Alpha ». Parce qu'il ne prétend pas conduire les personnes du début à la fin (Alpha-Oméga), mais propose simplement aux invités de faire connaissance avec la foi chrétienne, de faire une rencontre personnelle avec Jésus, en laissant à d'autres lieux dans l'Église le soin de nourrir et de développer cette foi nouvelle ou renouvelée.

Cela a été pour moi une épreuve difficile de parler devant cet auditoire de trois cents prêtres, d'autant que l'un des trois évêques de la commission récemment nommée, Mgr d'Ornellas, les avait rejoints et était assis au premier rang. Ce n'était pas forcément simple pour eux non plus de devoir être enseignés pendant deux jours par un couple de laïcs sans formation théologique particulière et dont le seul atout semblait être l'enthousiasme, un peu inquiétant pour certains, qui les animait. Lourde au début, l'atmosphère s'est progressivement détendue. Le deuxième jour, Florence donnait l'enseignement sur la prière. Elle proposa aux trois cents prêtres, comme nous le faisons toujours, de se mettre par groupes de trois, et de prier les uns pour les autres, les deux priants mettant leur main sur l'épaule de celui qui reçoit la prière. Elle n'aurait probablement pas osé le faire si elle s'était rendu compte à quel point cela leur était étranger. Combien la pudeur était plus forte encore entre prêtres, d'origines géographiques et de sensibilités variées, de différentes générations. Après un moment de flottement, certains s'y sont mis timidement. Florence, du haut de ses trente ans, les encourageait en souriant : « Si on ne prie pas les uns pour les autres dans l'Église, où le fera-t-on ? » Les uns après les autres, ils s'y sont mis, et c'est une des plus belles images que je garde de voir les masques tomber, certains essuyant furtivement une larme, et de voir chacun retrouver une simplicité d'enfant.

Novembre

En novembre à Lourdes, à l'assemblée annuelle des évêques, Alpha fut mis à l'ordre du jour. Les trois évêques firent un rapport discuté en séance plénière, à la suite d'une question écrite posée par Mgr Barbarin. Il fut décidé qu'Alpha serait mis en place *ad experimentum* pendant une période d'un an dans les diocèses qui le souhaiteraient. Les rapporteurs avaient consulté deux théologiens reconnus, le père François Bousquet et le père Henri-Jérôme Gagey, professeurs à l'Institut catholique de Paris. Ceux-ci, dans un rapport d'une dizaine de pages, « Note aux évêques de France sur les parcours Alpha et leur usage dans l'Église catholique », avaient minutieusement recensé ce qui, d'une manière ou d'une autre, pouvait poser problème d'un point de vue théologique. Pour des béotiens comme Florence et moi, cette liste semblait interminable. Certes, il n'y avait rien d'hérétique dans les enseignements, mais les différences d'accent, de points de vue théologiques semblaient si nombreuses, et parfois si substantielles, que j'imaginais mal comment ces points de vue pourraient se réconcilier. Par ailleurs, leur rapport montrait une compréhension juste de ce qu'est Alpha, dont l'apport va bien au-delà de l'enseignement. Il fut convenu à Lourdes qu'un travail serait fait pour reprendre la traduction du livre de base, de manière à l'adapter à la sensibilité du contexte français, et dès que possible, publier une version adaptée des enseignements sur vidéo. Sur les points d'ordre théologique, il fut décidé d'entrer en dialogue avec les auteurs du texte de manière à trouver un terrain d'entente qui satisfasse tout le monde.

Peu de temps après, Mgr Dubost se rendait à Londres pour rencontrer les pasteurs Sandy Millar et Nicky Gumbel. Nos amis anglais étaient un peu inquiets. Sandy Millar a remarqué : « Je crois que c'est le premier évêque catholique français qui vient en Angleterre depuis l'invasion de Guillaume le Conquérant ! » Ils s'interrogeaient : « Comment devons-nous l'appeler ? Père, Monseigneur ? » Mgr Dubost les a tout de suite mis à l'aise, dans un anglais parfait : « Appelez-moi Michel ! » Les conversations furent ouvertes et cordiales. Lors de sa visite, nos amis anglais lui servirent du bœuf. Il fallait être brave, et épris d'unité, pour l'accepter, en tant que Français, sans mot dire, au moment où la crise de la vache folle faisait rage ! Lorsque les deux pasteurs se rendirent en France quelques mois plus tard pour rencontrer les évêques, il leur fut servi du lapin... Pour un Anglais, le lapin fait partie, avec les grenouilles et les escargots, de ces choses innommables dont les Français se délectent, mais qu'il ne saurait avaler, même en cas de disette. Chacun fit bonne figure. Mais ces petits faux pas culinaires sont symboliques d'une certaine manière des dangers d'incompréhension mutuelle causés par les différences culturelles et confessionnelles.

Décembre

En décembre commença le travail sur les sujets de fonds. Un petit comité s'était réuni, composé de Marie-Nicole Boiteau, enseignante à l'École Cathédrale ; du père Jean-Hubert Thieffry, curé de la paroisse Saint-Denys-de-la-Chapelle à Paris, qui avait lancé le premier parcours Alpha dans une paroisse catholique en France ; et de Florence et moi, qui, à défaut de compétences théologiques, étions teneurs de plume. Après plus d'un an de travail commun, une version nouvelle du texte fut proposée. Dans l'ensemble, le travail se déroula sans difficultés particulières, à l'exception de deux ou trois points délicats dont le principal était la théologie du Salut telle qu'elle était exprimée dans le chapitre « Pourquoi Jésus est-il mort ? ». Après de nombreuses discussions, dans lesquelles les évêques et les pasteurs s'impliquèrent directement, on arriva à la version actuelle du livre, qui est utilisée par toutes les confessions. Il restera toujours des passionnés pour expliquer que l'on est allé trop loin dans un sens ou dans l'autre, mais globalement le texte tient bien la route.

Il ne s'agissait pas d'écrire une version catholique des enseignements. La délicatesse de l'exercice provenait de ce que nous cherchions à conserver un texte qui convienne à toutes les confessions. Malgré les réticences catholiques initiales sur ce principe même, chacun réalisa que c'était un point essentiel si cette démarche d'annonce de l'Évangile se voulait crédible aux yeux du monde. Le pape Paul VI l'écrivait sans ambages : « Évangélisateurs, nous devons offrir, non pas l'image d'hommes divisés, séparés par des litiges qui n'édifient point, mais celle de personnes mûries dans la foi, capables de se rencontrer au-delà des tensions réelles grâce à la recherche commune sincère et désintéressée de la vérité. Oui, le sort de l'évangélisation est certainement lié au témoignage d'unité donné par l'Église. Sur ce point, nous voudrions insister sur le signe de l'unité entre tous les chrétiens comme voie et instrument d'évangélisation. La division des chrétiens est un grave état de fait, qui parvient à entacher l'œuvre même du Christ » (*Evangelii Nuntiandi* n° 77). Des relecteurs de différentes confessions et de différentes sensibilités scrutèrent le texte, firent des suggestions. Après le feu vert des évêques et des pasteurs en janvier 2001, et après un peu plus d'un an de travail, le texte voyait le jour.

Cette année 1999 fut de manière étonnante la réalisation de ce que Nicky Gumbel nous avait prédit pendant ce week-end Alpha de juin 1997 : « Le moment venu, Dieu ouvrira les portes. » À l'été, il devint clair pour nous que le moment était venu de revenir en France. Nous appréhendions un peu l'aspect logistique, pourtant là aussi les choses se sont faites avec une simplicité remarquable. En septembre, j'ai décidé de radicalement changer d'orientation professionnelle, passant de la banque d'affaires au conseil en recrutement de cadres dirigeants. J'ai rejoint l'un des cabinets leaders dans ce domaine, où je

91

travaille à temps plein, réservant à Alpha mes week-ends et mes nuits…

Le Jubilé de l'an 2000

L'année 2000 était maintenant proche. Avec Florence nous ressentîmes l'appel de prendre une année sabbatique pour célébrer le Jubilé de l'an 2000, conformément aux prescriptions de l'ancienne alliance : « Vous sanctifierez la cinquantième année, et vous proclamerez la libération dans tout le pays pour tous ses habitants. Ce sera pour vous un jubilé : chacun de vous retournera dans son pays, chacun retournera dans son clan » (Lévitique 25, 10). Programme qui nous convenait bien ! L'année du Jubilé fut l'occasion de multiples rassemblements chrétiens dans la France entière. Nous avons essayé de répondre favorablement à toutes les invitations de présenter Alpha dès lors qu'elles rassemblaient quelques centaines de personnes. Il nous arrivait d'être un soir à Lille pour aller le lendemain à Pau, de là à Strasbourg, puis à Rennes ! Nous avons passé un an sur les routes de France, sans dormir plus de deux nuits au même endroit, avec nos deux petits enfants dont l'aîné avait trois ans. En un an, nous avons ainsi parcouru près de deux cent mille kilomètres. Nous avons pris la plupart de nos repas dans les stations-service de France et de Navarre… Ce fut aussi pour nous un temps d'enracinement dans la foi qui nous a permis de faire le point sur nos vies et notre relation à Dieu. À la fin de cette année 2000, je commençais mes nouvelles activités professionnelles. Florence, pour sa part, ouvrait officiellement le bureau Alpha avec Marie Chevrant-Breton, une jeune Française avec qui nous avions lancé le parcours Alpha de Londres. Au moment où nous avons annoncé notre retour en France, Marie nous a dit qu'elle était prête à abandonner son travail de consultante pour tenter l'aventure avec nous. Sept ans plus tard, nous travaillons toujours ensemble, et l'équipe s'est sensiblement élargie. Des centaines de paroisses se sont jetées à l'eau. La circonspection initiale du côté catholique s'est estompée, et Alpha est proposé dans la plupart des diocèses. Alpha fait désormais partie du paysage ecclésial catholique français... Mais qu'en était-il du monde protestant ?

Le monde protestant français

J'ai longuement parlé ici des progrès faits dans le monde catholique. C'est là que se situait d'abord l'enjeu en raison de la tradition spirituelle française et des difficultés particulières que nous anticipions de rencontrer chez les catholiques. Cela ne signifie pas qu'il ne se passait rien du côté protestant : pendant ces années, Alpha se développait aussi dans le monde protestant français. L'acclimatation était plus naturelle, en tout cas du côté des Églises évangéliques, habitués à utiliser des outils et des méthodes efficaces dénichées un peu partout dans le monde. Le tout premier parcours Alpha en France avait été donné vers 1996 par une communauté évangélique et il existe encore à ce jour. En 1998, il y avait cinq parcours recensés, dont quatre en anglais et un en français, celui de l'Église réformée de Belleville. Un début de coordination se dessinait, sous la houlette d'un jeune évangélique suisse, Olivier Fleury, basé près de Lausanne. Olivier avait organisé une traduction méthodique des principaux livres pour la Suisse romande et avait assuré leur publication en partenariat avec une organisation protestante d'envergure mondiale, Jeunesse en Mission. L'énorme travail qu'il a réalisé a permis d'amorcer le mouvement de manière déterminante.

Les Églises évangéliques connaissent en France des problématiques de croissance sensiblement différentes de l'Église catholique. Leur croissance est rapide. En 2007, signe des temps, c'est un pasteur évangélique, Claude Baty, qui a été élu président de la Fédération protestante de France. Le monde évangélique français est très divers. Certaines Églises sont ouvertes aux plans théologique et œcuménique, d'autres moins. Leur organisation et leur tradition sont aussi variables, mais elles se sentent en communion les unes avec les autres. Elles coopèrent volontiers sur le terrain, et fonctionnent en réseaux, avec des pasteurs qui se connaissent bien, souvent d'ailleurs pour avoir été formés dans les mêmes institutions. Dans la vision des communautés protestantes évangéliques, la nécessité de croissance de l'Église est une évidence, ancrée à la fois dans l'Écriture, dans leur expérience, et dans la constatation très empirique qu'un organisme vivant qui ne grandit pas dépérit. C'est parce qu'elles sont organisées pour grandir qu'elles grandissent, et non pas, comme un certain nombre de médias le susurrent, parce qu'elles seraient « financées par les Américains ». Le style d'Alpha leur convient assez, et surtout, peu d'outils sont aussi facilement reproductibles, permettant de former rapidement les chrétiens à l'annonce de l'Évangile. La dimension missionnaire est spécialement importante pour ces communautés. Un pasteur évangélique expliquait : « Les paroisses catholiques bénéficient encore dans notre pays d'un passage continu de personnes éloignées de l'Église mais qui viennent à l'occasion des baptêmes, des mariages et des funérailles ou pour chercher un réconfort spirituel, un conseil. Les Églises évangéliques n'ont pas cela. Si elles souhaitent annoncer l'Évangile et grandir, elles sont contraintes d'aller plus au large, dans le dur. Et là Alpha s'avère un instrument précieux, un tigre dans le moteur ! »

Au début, en France, en raison du développement rapide dans le monde catholique, la perception se développa qu'Alpha était un outil spécifiquement catholique ! Cela freina un peu le développement. Aujourd'hui, le parcours est utilisé en France par plusieurs centaines d'Églises évangéliques qui en font une partie centrale de leurs efforts pastoraux. De façon plus progressive, les réformés et les luthériens adoptent également Alpha. Certains orthodoxes envisagent de se lancer. Bref, tout le monde s'y est mis.

4

Pourquoi ça marche ?

C HRISTINE À QUI nous avons donné la parole dans le chapitre d'ouverture est bien représentative des plus de huit millions de personnes dans le monde qui ont suivi un parcours Alpha. Toutes n'y font pas une expérience spirituelle, mais en moyenne, une personne sur deux présentes au dîner de célébration décidera de revenir pour suivre le parcours. Quelle que soit leur décision ultérieure, l'expérience spirituelle qu'elles feront, ou non, ces personnes ressortiront avec une perception de l'Église bien différente.

Il importe donc de comprendre les raisons de la fécondité particulière d'Alpha. Qu'est-ce qui est à l'œuvre dans cette dynamique ? Quelles sont les raisons qui font de cette formule un outil efficace, adapté aux problèmes de ce temps et à la société d'aujourd'hui ? En adoptant Alpha, c'est potentiellement toute la communauté qui se place dans une démarche d'annonce de l'Évangile. Cette annonce a trois grandes caractéristiques. Trois pieds, c'est plus stable : une première annonce de la foi, le kérygme ; la communauté où on le propose ; le souffle de l'Esprit-Saint.

Une première annonce de la Bonne Nouvelle...

Alpha se situe dans la droite ligne de ce qu'on appelle la « première évangélisation ». Les spécialistes utilisent le mot antique de « kérygme » qui est littéralement « la première annonce pleine de chaleur qui un jour bouleverse l'homme et le porte à la décision de se livrer à Jésus-Christ par la foi » (Jean-Paul II, *Catechesi Tradendae,* n° 25). Alpha se situe au niveau du kérygme, du noyau, de la réalité vivante à partir de laquelle la plante, le grand arbre de la foi, germe, grandit, se déploie s'il est placé dans un milieu nourricier adéquat.

Il y a dans le mot « noyau », qui a donné l'adjectif « nucléaire », une notion de puissance contenue que l'on retrouve dès la première proclamation du kérygme par l'apôtre Pierre le jour de la Pentecôte. Juste après la venue de l'Esprit-Saint, qui se manifeste sous la forme du vent et du feu, Pierre prend la parole et annonce ce noyau de la foi d'une manière brève, qui tient en quelques versets (Actes des Apôtres 2, 15). Mais l'effet est fulgurant. Le texte nous dit, à propos des auditeurs : « D'entendre cela, ils eurent le cœur transpercé, et ils dirent à Pierre et aux apôtres : "Frères, que devons-nous faire ?" Pierre leur répondit : "Convertissez-vous, et que chacun de vous se fasse baptiser au nom de Jésus-Christ pour la rémission de ses péchés, et vous recevrez alors le don du Saint-Esprit. Car c'est pour vous qu'est la promesse, ainsi que pour vos enfants et pour tous ceux qui sont au loin, en aussi grand nombre que le Seigneur notre Dieu les appellera" » (Actes des Apôtres 2, 37-39). Ils étaient environ cent vingt, et le même jour trois mille autres demandèrent le baptême. Un discours, trois mille conversions ! C'est la puissance du kérygme, le noyau de la foi annoncé sous le souffle de l'Esprit-Saint, qui est à l'œuvre ici. Alpha se situe à ce point où l'homme a le cœur transpercé.

Quand on découvre Alpha, on est souvent surpris de voir que le même texte est proposé pour toutes les confessions chrétiennes. Le texte a été travaillé et retravaillé avec des théologiens des principales confessions, pour arriver à une mouture qui convienne à tous. D'où les questions souvent posées : « L'enseignement n'est-il pas trop sommaire ? Ne rabote-t-il pas trop sur ses marges ? N'est-il pas le fruit au fond d'une négociation entre les différentes confessions chrétiennes pour dégager un plus petit dénominateur commun, comme peut le faire une commission parlementaire pour trouver les mots qui conviendront au plus grand nombre dans l'élaboration de ses rapports ? Au fond, le succès d'Alpha n'est-il pas dû à sa fadeur ? »

Non. Au contraire. La démarche est de retrouver le cœur du cœur du message, sa fine pointe, et non de faire des concessions à n'en plus finir pour plaire au plus grand nombre. Ce n'est que lorsqu'un cœur a été touché par cette pointe que la personne peut décider d'offrir sa vie. Après seulement une catéchèse est possible et opérante. Trop souvent, la catéchèse est proposée alors que la première évangélisation n'a pas eu lieu, qu'il n'y a pas encore de flamme dans le cœur, ni de sens d'un lien avec le Christ vivant.

Des amis proches, aujourd'hui parrain et marraine de deux de nos enfants, étaient étrangers à la foi et à l'Église et n'étaient pas baptisés. Si je leur avais offert, comme guide de cheminement spirituel, l'imposant *Catéchisme de l'Église catholique* de neuf cent soixante-quinze pages, écrit en petits caractères, j'aurais connu sans doute un succès d'estime. Après leur conversion, après ce « transpercement du cœur », ils l'ont lu chacun, alors que ni l'un ni l'autre ne sont catholiques. L'un des deux m'a dit : « Je n'ai pas pu le lâcher, comme un roman policier qu'on lirait jusqu'à une heure avancée de la nuit. » Une fois qu'un cœur est ouvert à la foi, une soif insatiable le prend.

Les chrétiens font souvent l'hypothèse que les bases sur lesquelles s'édifie la catéchèse sont présentes. Cette hypothèse est devenue fausse dans un environnement déchristianisé. C'est ce qui cause le sentiment de découragement qu'éprouvent beaucoup de catéchètes, qui consacrent sincèrement leur temps, avec le sentiment de ne pas voir les fruits de leur travail. La catéchèse peut apporter une culture et des valeurs. Comme disait ma grand-mère : « Un peu de religion ne fait pas de mal ! » Mais sans l'étincelle initiale, elle risque de rester lettre morte dans un être qui n'est pas prêt à l'accueillir. Ça rassure, mais ça ne change rien au monde. Tant que la première annonce n'a pas éveillé un écho profond, la catéchèse est inutile, voire néfaste, parce que indigeste. Le kérygme, notre labeur quotidien dans Alpha, vient en amont de la catéchèse. Revenir au kérygme, ce n'est pas procéder à un retour en arrière, régresser sur le plan de la foi et encore moins raboter le message. C'est poser les choses dans le bon ordre. Pour le dire avec les mots de l'amour humain, c'est d'abord tomber amoureux et s'engager l'un envers l'autre avant d'apprendre à vivre ensemble. Quand on fait cela dans l'autre sens, on bâtit sur du sable. C'est l'une des raisons essentielles de la fécondité d'Alpha, d'avoir retrouvé, et adapté aux besoins de notre époque, le sens de la première annonce, présente dès les premières heures de la vie de l'Église.

Proposée par la communauté chrétienne...

Le second aspect essentiel d'Alpha, c'est la communauté chrétienne elle-même qui devient annonciatrice de ce kérygme. On voit dans le Nouveau Testament plusieurs manières d'annoncer la Bonne Nouvelle : le dialogue en tête à tête, comme dans ces discussions de Jésus avec la femme de Samarie ou avec Nicodème ; l'annonce lors d'un grand rassemblement, tel le Sermon sur la montagne ; un troisième modèle est l'annonce de l'Évangile par la communauté locale. L'annonce de l'Évangile par la paroisse ou l'église locale est un moyen naturel, simple, efficace de toucher les cœurs. Alpha, de par son origine paroissiale, est dans cette logique. Il y a à cette approche plusieurs avantages.

Le premier est que la foi est proposée directement dans le milieu où elle est appelée à être vécue. Ainsi, imaginons que vous ayez un ami dont vous souhaitez depuis longtemps qu'il fasse la découverte du Christ vivant. Vous lui proposez de vous accompagner à un grand rassemblement chrétien, tel qu'une veillée des JMJ, une soirée de prédication de Billy Graham, ou un rassemblement de Taizé. Peut-être sera-t-il ému par la beauté des chants, des éclairages et des couleurs ; peut-être sera-t-il touché par le caractère chaleureux et joyeux des relations, l'atmosphère de recueillement d'une immense assemblée réunie dans la louange et la prière. Peut-être vous dira-t-il, enthousiaste, à la fin de la soirée : « C'est cela l'Église ? C'est comme cela que prient les chrétiens ? Si je l'avais su plus tôt... Ça me donne envie d'aller plus loin ! Comment faire ? » Votre cœur bat la chamade, plein d'enthousiasme, vous répondez : « C'est facile, dimanche prochain, viens dans ma paroisse ! » Et le dimanche arrivé, il y a un vrai risque qu'il soit déçu : l'ambiance n'est plus la même, ni la musique, ni la même génération. Et tel le jeune homme riche qui vient trouver Jésus, il y a des chances qu'il s'en reparte tout triste.

Beaucoup de paroisses éprouvent ainsi des difficultés à intégrer les nouveaux chrétiens après un « temps fort », car la marche est trop haute à franchir. Dans la plupart des démarches classiques d'évangélisation, la conversion précède l'intégration dans la communauté chrétienne. Alpha inverse cet ordre en proposant d'abord de rejoindre une communauté dans une atmosphère d'amitié, puis de faire ensuite une démarche de foi. Dans Alpha, ce que voient les invités, c'est ce qu'ils vivront au quotidien. Ils commencent par rejoindre une communauté chrétienne dans laquelle ils suivent le parcours. Ils s'y font des amis, y trouvent des points de repère, et un réseau relationnel. Ensuite, s'ils découvrent la foi, ils sont déjà familiers avec l'environnement qui les a vus renaître.

Du coup, s'estompe le décalage entre ce temps exceptionnel de la découverte qui bouleverse un cœur, et le temps quotidien pour vivre sa foi. L'ambiance qui a touché l'invité restera la même, ainsi que l'amitié qui lui aura permis de faire un pas vers Dieu. Le lieu de la conversion est le même que celui où sera vécue la foi. On évite ainsi l'étape de devoir s'adapter à une communauté. Alpha propose d'emblée un milieu de vie chrétien porteur. La transition n'est pas violente et la jeune pousse peut s'affirmer progressivement dans le terreau où elle a germé.

Néanmoins, Alpha n'est pas la panacée totale aux difficultés qu'ont nos communautés à faire de la place aux nouveaux. Pour évoquer l'ampleur du problème, il faut avoir à l'esprit la proportion très élevée des baptisés adultes catholiques qui pour la moitié d'entre eux auront cessé de fréquenter une communauté chrétienne dans les douze mois qui suivent leur baptême, cette proportion atteignant 90 % après cinq ans ! Quel extraordinaire gâchis lorsque l'on pense au parcours d'un catéchumène adulte : l'éveil intime à la foi qui provoque la demande de baptême, la catéchèse sur un parcours de deux ans, les amitiés qui se créent avec ceux qui l'accompagnent, la splendide liturgie de la nuit de Pâques au cours de laquelle il est plongé dans la mort et dans la résurrection du Christ. Il y a une réflexion urgente à mener sur l'incapacité de nos communautés à constituer pour les nouveaux chrétiens un milieu nourricier qui les fasse grandir sur la durée.

En effet, si la paroisse se contente de mettre en place Alpha sans changer en profondeur sa façon d'accueillir, l'effet sera celui d'un emplâtre sur une jambe de bois. Les paroisses et les églises qui donnent Alpha dans la durée renouvellent régulièrement l'équipe. Le parcours est une passerelle avec leurs autres activités, facteur puissant de changement. C'est pour cela que nous plaidons constamment pour un effort dans la durée, et pour une place particulière donnée à Alpha dans les activités de la communauté chrétienne. Pas parce que Alpha mériterait la première place. Mais parce que dès lors qu'une communauté se préoccupe de mettre au premier plan l'accueil de ceux qui sont loin, toute sa dynamique change. Elle redevient profondément fidèle à la vocation de l'Église qui est là d'abord pour ceux qui ne sont pas là. Alpha joue là un rôle de catalyseur, aux côtés d'autres activités évangélisatrices. École de disciples, elle apprend aux participants comme aux membres de l'équipe à travailler ensemble, sous la motion de l'Esprit-Saint. Nous y reviendrons.

Une deuxième raison pour laquelle cette annonce en paroisse est spécialement féconde, c'est qu'elle donne une place centrale à l'amitié. L'Évangile nous montre que c'est par l'amitié que nous venons au Christ. Le premier chapitre de l'Évangile de Jean est spécialement éloquent, que l'on pourrait du reste appeler l'Évangile de l'amitié. Jean-Baptiste montre Jésus à ses deux jeunes disciples André et Jean, et ils se mettent à le suivre. C'est le cœur de la vocation chrétienne : sur la foi d'un ami, on se met à suivre quelqu'un, Jésus, dont nous ne savons ni qui il est, ni où il va. Au bout d'un moment, Jésus se retourne, les regarde et leur demande – nous demande : « Que cherchez-vous ? » Ils répondent : « Maître, où demeures-tu ? », et Jésus leur répond : « Venez et vous verrez. » C'est aujourd'hui encore la parole qu'il adresse à tant de cœurs : « Viens et vois ! » Puis André va chercher Pierre pour l'amener à Jésus, Philippe va chercher Nathanaël : « Viens et vois ! »

De la même manière, Matthieu, le collecteur d'impôts méprisé par les juifs, est appelé par le Christ. Pour fêter cet appel et son changement radical de vie, il organise un grand dîner, où il invite ses amis et ses collègues de travail, les impopulaires percepteurs d'impôts, en leur disant : « Venez et voyez ! » Un bon dîner, et Jésus est là, avec ceux qui sont loin de la religion, spécialement pour eux. Ce dîner chez Matthieu, c'est la préhistoire du parcours Alpha !

Alpha, c'est une annonce de type « viens et vois ! ». C'est simple. On propose à un ami, ou à une relation, un carton d'invitation pour le dîner suivant avec des mots simples. Ainsi, David, le collègue anglais qui m'a invité au parcours Alpha de Holy Trinity Brompton. Nous ne nous connaissions que de vue. Ayant remarqué que j'avais une petite Bible sur mon bureau, il m'a demandé : « Aimerais-tu venir à un dîner qui a lieu dans ma paroisse la semaine prochaine ? Ce sera suivi d'un exposé intitulé : "Le christianisme : faux, ennuyeux, dépassé ?" Nous irons avec ma femme et plusieurs de mes amis. » Ma première réaction a été plutôt non. Nous avions un bébé de trois mois à la maison, le travail au bureau était très lourd. Alors David est sorti de sa réserve naturelle de banquier d'affaires britannique : « Cela me ferait vraiment plaisir que tu voies cela. Ça a changé ma vie, ça a sauvé notre couple. » Nous sommes venus et avons assisté à une soirée comparable à celle que Christine a décrite dans le premier chapitre. Quelques années plus tard, David était en France, lors d'une soirée Alpha où nous réunissions environ deux cents personnes. Nous racontions le bilan des six premières années : plus de cinq mille animateurs formés, plus de quarante mille personnes ayant suivi Alpha dans environ quatre cents paroisses et églises de France. Plusieurs personnes ont ensuite témoigné des bénédictions dont Dieu les avait comblées pendant ce parcours. À la fin, David a demandé à témoigner à son tour. Avec des mots sobres il raconta comment il m'avait invité au premier dîner. Comment, quelques mois plus tard, il m'avait vu avec stupeur abandonner les responsabilités intéressantes et gratifiantes que j'occupais dans la City, pour retourner en France lancer Alpha. Et il dit, la voix troublée par l'émotion : « Tout cela a été rendu possible parce que j'ai pris mon courage à deux mains pour inviter un de mes collègues ce soir-là. Et de ce petit acte d'audace, Dieu a fait fleurir toutes les merveilles que nous venons d'entendre de vies transformées et de communautés renouvelées. Je demande publiquement pardon à Dieu pour toutes les fois, infiniment plus nombreuses, où je n'ai pas saisi l'opportunité, et pour le gâchis de toutes ces occasions manquées qui auraient pu être si fécondes. »

Et de fait, il y a une disproportion complète, comme souvent dans la coopération avec Dieu, entre ce que nous apportons et le fruit qu'il suscite. C'est particulièrement net pour l'invitation. On donne le carton d'invitation, puis on laisse Dieu agir dans les cœurs. Pas besoin de réflexion compliquée pour savoir à qui donner. Comme le semeur de la parabole, ou la semeuse de nos anciennes pièces de un franc, semons à profusion. Qui inviter ? Pas besoin de gamberger pendant des heures pour savoir si un tel est prêt, ou une telle est en phase de quête spirituelle. Il suffit d'inviter largement.

La meilleure préparation est la prière. Chaque matin, avant de démarrer la journée, vous pouvez prier ainsi : « Seigneur, guide mes pas vers ceux et celles que tu attends. Guide mon attitude, mon regard, mes gestes, mon sourire quand tu m'envoies. Saisis mon cœur, mes mains, ma vie, pour qu'ils ressemblent à ton cœur, à tes mains, à ta vie ! » Essayez de procéder ainsi, vous verrez des fruits extraordinaires. Si vous faites votre part, Dieu fera la sienne. En revanche, si personne n'invite, si on se contente de faire des annonces en chaire ou par voie d'affiches, il risque de ne rien se passer. D'abord parce que ceux à qui l'invitation est lancée ne seront pas, par définition, à l'église pour recevoir l'annonce. Et puis aussi parce que ce n'est pas la manière de faire des chrétiens : personne ne vient au Christ par voie d'affiches, ou d'annonces sonorisées.

La démarche est simple : on prie, on invite, puis on prie à nouveau. Le Seigneur fait le reste. Parmi les invités, plusieurs s'ouvriront à la foi en Jésus-Christ ; emplis de l'Esprit-Saint et pleins d'enthousiasme, ils en parlent à leurs amis, et les invitent au parcours suivant. Aussi, lorsque Alpha fonctionne comme prévu, se produit une diffusion constante dans des cercles nouveaux de personnes éloignées de la foi.

Une troisième raison pour laquelle Alpha est si fécond dans les paroisses est que le parcours permet à tous les talents de s'exprimer et de trouver une utilité. Un sondage fait aux États-Unis montrait que 10 % seulement des pratiquants exercent une responsabilité au sein de la communauté chrétienne, alors que 40 % voudraient s'engager mais ne savent pas quoi faire, parce qu'ils n'ont jamais été sollicités. Ou on les a sollicités pour des activités qu'ils ne maîtrisent pas : « Vous êtes réparateur de pianos ? Voilà qui fera très bien l'affaire pour animer le groupe de chant... » Cette frange de chrétiens qui voudraient s'engager mais ne trouvent pas de débouchés à leurs talents est un trésor inexploité. Alpha y remédie, en donnant à chacun la possibilité de s'engager de la manière qui lui convient le mieux. Il y a de la place pour tous : accueil, cuisine, mise en place, animation des groupes, exposés, prière, chant, décoration. Les besoins sont vastes puisqu'en moyenne, on compte un membre de l'équipe pour deux invités. Ainsi, pour accueillir quarante personnes, il faut une équipe de vingt serviteurs. Donc la palette des talents utilisés est très variée. Ce qui a frappé Christine en arrivant, c'est de voir des chrétiens de toutes les couleurs de l'arc-en-ciel, de la grand-mère au banquier en passant par le punk. Grâce à l'utilisation d'une méthode commune, chacun peut trouver sa place.

Par ailleurs, Alpha mobilise sans cesse de nouveaux talents. Dans la session suivante, certains participants deviennent assistants. Ou cuisiniers. C'est une grande chance, et spécialement en France, un argument d'invitation majeur, quand un bon cuisinier se convertit et s'engage dans la cuisine Alpha. Les assistants, à leur tour, deviennent animateurs de petits groupes. Et qu'advient-il des premiers animateurs ? Nous leur suggérons qu'ils laissent la place aux « jeunes », et qu'ils aillent se remettre au service de leur pasteur ou de leur curé ailleurs dans la paroisse : catéchisme, préparation au mariage ou au baptême... Leur participation à Alpha leur aura appris à accueillir avec délicatesse ceux qui sont loin, à trouver les mots pour engager le dialogue avec eux, à travailler en équipe, à prier les uns pour les autres, à être plus efficaces. Ainsi, un grand nombre de chrétiens se forme dans la paroisse à l'annonce de l'Évangile. L'idéal est que chacun passe dix-huit à vingt-quatre mois dans Alpha puis évolue vers d'autres chantiers, ce qui a des retombées bénéfiques pour toute la communauté. Le curé d'une grande paroisse me confiait : « Alpha est devenu pour la paroisse le principal réservoir de talents. La plupart des membres de mon conseil pastoral sont aujourd'hui des anciens d'Alpha. »

Une quatrième raison pour laquelle cette annonce de la Bonne Nouvelle dans les paroisses est si féconde est qu'elle permet de proposer la foi dans le pays tout entier. Imaginons qu'un parcours Alpha puisse être proposé dans chaque commune, dans chaque quartier de chaque ville de France. Que dans des milliers de lieux, la lumière soit allumée, la table mise par les chrétiens, ouverte à tous ceux qui souhaitent réfléchir au sens de leur vie et en connaître davantage sur la foi. Imaginez que chaque communauté chrétienne de ce pays ait en place un programme d'annonce de l'Évangile, où semaine après semaine, mois après mois, année après année, les gens puissent découvrir les chemins de la foi au Christ, soient emplis de l'Esprit-Saint, et aillent en parler à leurs amis !

Les médias parlent toujours des églises vides et de la lente décadence de l'Église. En réalité, n'importe quel parti politique, n'importe quel syndicat, rêverait d'avoir autant de membres qu'il y a en France de chrétiens pratiquants, même s'ils ne sont « que » quatre millions. Si chacun de ces chrétiens prend au sérieux l'appel du Christ à annoncer l'Évangile, il ne faudra pas plus d'une génération pour que la Bonne Nouvelle puisse être entendue par ce pays d'une manière joyeuse, vraie et transformante.

Dans une paroisse BCBG du seizième arrondissement de Paris, un parcours Alpha venait d'être lancé. Au troisième dîner, ils ont vu débarquer un jeune homme qui était assez différent du public habituel. Il avait un jean moulant, un T-shirt qui lui collait à la peau. Bref, un look qu'on n'avait pas coutume de voir à la paroisse dite « du vison parisien », comme l'appellent eux-mêmes ses membres, pour la plupart médecins, banquiers, avocats, hauts fonctionnaires. Le jeune homme s'est assis à une table et, pendant le repas, quelqu'un lui a demandé ce qu'il faisait. Il a répondu : « Je m'appelle Thierry. Je suis l'un de ces garçons qui font le trottoir porte Dauphine, à cinq minutes d'ici. » Blanc... Grand silence à table. Personne ne s'attendait à celle-là. La conversation a péniblement repris, l'exposé a eu lieu, puis le petit groupe discussions. À la fin, Thierry a annoncé aux autres : « C'est bizarre. On n'a rien à voir les uns avec les autres, ici vous êtes tous des bourgeois, ce soir vous allez rentrer dans vos apparts bien chauffés, dans vos familles qui vous attendent. Moi, je vais retourner sur le trottoir. Pourtant, malgré nos différences, ce soir, pour la première fois depuis longtemps dans ma vie, je me suis senti ici comme dans une famille. » Un temps de silence, puis Thierry a repris : « Est-ce que je peux revenir la semaine prochaine ? »

La semaine d'après, Thierry est revenu, accompagné de l'un de ses « collègues de travail ». La soirée s'est passée chaleureusement. Les deux jeunes s'y sont sentis heureux, décalés mais accueillis. La semaine suivante, ils sont revenus à trois, puis à quatre la semaine d'après, puis cinq et comme cela jusqu'à neuf, qui tous faisaient le trottoir porte Dauphine. « Viens et vois ! » Cette histoire m'a bouleversé, comme si nous vivions au XXIe siècle cette parole de Jésus : « Les prostituées vous devanceront dans le Royaume de Dieu » (Matthieu 21, 31). Non pas parce qu'elles sont prostituées, mais parce que quand il est venu, elles ont cru en lui, se sont converties. Pour moi, tous nos efforts pour lancer Alpha étaient justifiés par ce seul témoignage.

J'ai voulu en savoir davantage. Nous nous sommes retrouvés avec cinq d'entre eux dans un abri mis à la disposition par l'association « Aux captifs la Libération » pour déjeuner. J'étais le seul qui portait une cravate, ce qui les a beaucoup amusés. Dans leurs témoignages, j'ai trouvé un point commun. Au-delà d'une vie « pourrie » marquée par l'alcoolisme, les séparations, la violence, la drogue, l'inceste, tous arrêtaient leur histoire à la fin de l'enfance. Après, le grand trou noir, jusqu'au trottoir. Leurs souvenirs remontaient à l'époque où il y avait encore de l'amour dans leur vie. D'un côté, des jeunes gens qui mouraient de soif d'amour. De l'autre, une communauté qui, tant bien que mal, essayait d'en donner, même en étant sortie, par ce parcours Alpha, de sa zone habituelle de confort. Ces deux groupes humains que tout opposait, qui ne se seraient jamais rencontrés dans la vie courante, ont pu établir un lien, dans le cadre de la communauté chrétienne. Entre ceux qui dépérissaient d'une soif d'amour et ceux qui étaient dans la capacité d'en donner, quelque chose est passé, au-delà de toutes les séparations. Très vite, les uns et les autres se sont retrouvés comme dans une famille.

Ce genre de rencontre incongrue, improbable, est monnaie courante à Alpha, qui permet de faire découvrir l'Église comme une famille. Quand on y réfléchit, il existe bien peu d'endroits dans le monde d'aujourd'hui où exprimer sa souffrance ou sa solitude. Bien sûr, il y a les médecins, la psychanalyse, des lieux où l'on soigne. Mais un cœur qui va mal, un cœur qui n'a pas reçu l'amour dont il avait besoin dans son enfance, que va-t-on lui proposer ? Or, une communauté humaine qui se met sous la motion de l'Esprit-Saint, qui comprend qu'elle est rassemblée au nom de plus grand qu'elle, au nom du Christ, une communauté qui devient accueillante parce qu'elle se sait aimée et le montre au travers de ses membres, celle-là devient dispensatrice d'amour et rend possible l'impossible : toucher des cœurs qui ne le seraient nulle part ailleurs. En ce sens, la communauté chrétienne, la paroisse, est l'espérance du monde. On y vit ce qu'on ne peut pas vivre ailleurs : l'amour de Dieu qui transforme les cœurs.

Sous le souffle de l'Esprit-Saint

On me pose parfois la question suivante : « Nous aimons bien Alpha, mais peut-on opérer sans l'Esprit-Saint ? Peut-on se passer du week-end ? Est-il nécessaire de prier pour recevoir l'Esprit-Saint ? » Rien de ce dont j'ai témoigné jusqu'à présent n'aurait de sens s'il n'était placé sous le signe de l'Esprit-Saint. L'Esprit-Saint est le seul acteur de l'évangélisation. Pourquoi ? Parce que c'est lui qui prépare le cœur de celui qui écoute, c'est lui qui éclaire son intelligence, c'est lui encore qui dispose intérieurement ce cœur pour le rendre capable de recevoir la parole, et c'est enfin encore lui qui donne la « motion » initiale à celui qui va parler ou rendre témoignage, susciter en lui les gestes, les mots, les attitudes capables de toucher nos frères. C'est pour cette raison que, dans le parcours Alpha, il a une telle importance, aussi bien pour les membres des équipes que pour les participants.

Une autre question qui se pose parfois est : « Faut-il être charismatique pour faire Alpha ? » Si la question sous-entend : « Faut-il prier d'une certaine manière, lever les bras, chanter en langues étranges, tomber par terre… ? » et que sais-je encore, la réponse est non. Nous l'avons vu, Alpha fonctionne dans une multitude d'environnements différents du point de vue de la sensibilité. Si la question signifie vraiment ce que les mots veulent dire : « Devons-nous être ouverts aux dons de l'Esprit-Saint ? », la réponse est oui, trois fois oui ! Les dons spirituels que l'Esprit-Saint fait sont des dons gratuits en vue de construire la communauté. Il est impensable, non seulement de faire Alpha, mais surtout de vivre une vie profondément chrétienne sans ces dons. Peu importe qu'on chante en langues ou qu'on utilise le *Veni Creator,* ou que simplement on prie : « Viens, Esprit-Saint » pour demander que sa présence se déploie en nous. Peu importe d'avoir les mains jointes ou les bras en l'air. Le tout, c'est de demander ces dons.

En effet, le baptême a fait de nous des hommes nouveaux, mais pour que cette nouveauté dure, elle doit elle aussi se renouveler de jour en jour. Car « même si notre homme extérieur s'en va en ruine, notre homme intérieur se renouvelle de jour en jour », écrivait Paul aux Corinthiens (2 Corinthiens 4, 16). « Ne pense pas, écrivait Origène, qu'il suffit d'être renouvelé une fois seulement. De jour en jour, il faut renouveler la nouveauté même. »

Le chrétien a le choix entre deux manières d'agir : une façon humaine et une façon divine, une façon naturelle et une façon surnaturelle. Une façon où l'acteur principal est l'homme, avec sa rationalité, même si elle est éclairée par la foi. Et une façon où l'acteur principal est l'Esprit-Saint. Les fruits sont différents, selon que l'on agit « avec sagesse », en comptant sur la prudence, le bon sens, l'expérience, l'organisation, la diplomatie ou dans « une démonstration d'esprit et de puissance » (1 Corinthiens 2, 4).

J'ai observé un jour dans une cour de ferme un dindon qui essayait de voler. Il courait en tout sens, battait désespérément des ailes en soulevant des monceaux de poussière avec ses plumes, en poussant des cris affreux et en se cognant à ses congénères. Au maximum, il s'est élevé péniblement de cinquante centimètres. Un été en montagne, j'ai eu la chance de pouvoir observer un aigle. Il s'est élevé à plusieurs centaines de mètres de haut, sans un battement d'ailes. Il s'est laissé porter par les courants ascendants qui l'ont majestueusement élevé très haut. Et l'aigle monte spécialement haut dans la tempête. Alors je pose amicalement la question : dans notre annonce de l'Évangile, dans notre vie chrétienne, notre vie tout court, préférons-nous être l'aigle ou le dindon ?

Je me souviens d'une amie qui s'est convertie très simplement en allant à la piscine... Elle n'était pas très heureuse à l'époque, et a observé une femme nager. Elle a trouvé son visage si rayonnant qu'elle n'a pas pu s'empêcher de l'aborder quand elle fut sortie de l'eau et lui a dit qu'elle trouvait son visage merveilleux, qu'il reflétait quelque chose qu'elle n'avait jamais vu sur aucun autre visage. Puis elle lui a demandé pourquoi. La femme lui a raconté qu'elle était chrétienne et elle a témoigné de sa foi. Si nous laissons l'Esprit-Saint travailler, il nous transformera de manière visible. Nietzsche a dit : « Moi, je croirais en Dieu si les chrétiens avaient des gueules de ressuscités. » Cette apostrophe terrible, même si le monde ne l'exprime plus ainsi, exprime un sentiment qui reste lové au cœur de bien des hommes d'aujourd'hui. À nous de rechercher la grâce de Dieu dans notre vie, en priant avec la simplicité de Jeanne d'Arc : « Si je n'y suis, Dieu m'y mette. Et si j'y suis, Dieu m'y garde ! »

La vie chrétienne n'est pas seulement une question de croissance spirituelle personnelle ; c'est aussi un service, une annonce. Pour accomplir cette mission nous avons besoin de la « puissance qui vient d'en haut », des charismes, d'une forte expérience, de l'Esprit-Saint, d'une nouvelle Pentecôte dans chacune de nos vies. Pour accomplir l'œuvre de Dieu avec zèle, avec persévérance et avec joie, il faut s'ouvrir à l'Esprit. Tous les grands évangélisateurs étaient emplis et remplis de l'Esprit-Saint : l'apôtre Pierre est empli de l'Esprit-Saint à la Pentecôte, puis il est à nouveau empli de l'Esprit (Actes des Apôtres 4, 8) puis à nouveau (*ibid.* 4, 31)… Paul écrit aux Éphésiens (Ephésiens 5, 18) : « Soyez emplis du Saint-Esprit ! » Dans la tradition protestante, nombreux sont ceux qui considèrent que cette expérience est fondatrice : Whitfield, Wesley, Moody, Billy Graham. Plus près de nous, à la veille du nouveau millénaire, Jean-Paul II en parlait ainsi : « Il faut raviver en nous l'élan des origines, en nous laissant pénétrer de l'ardeur de la prédication apostolique qui a suivi la Pentecôte. Nous devons revivre en nous le sentiment enflammé de Paul qui s'exclamait : "Malheur à moi si je n'annonçais pas l'Évangile !" (1 Corinthiens 9, 16). Celui qui a vraiment rencontré le Christ ne peut le garder pour lui-même, il doit l'annoncer. Il faut un nouvel élan apostolique qui soit vécu comme un engagement quotidien des communautés et des groupes chrétiens » (*Novo millenio ineunte*, n° 40).

« Il vous faut naître d'en haut, il vous faut naître de nouveau. » Être empli de l'Esprit-Saint est une véritable nouvelle naissance. Cela peut nous étonner, un peu comme cette petite fille de huit ans qui vient voir sa maman à la cuisine : « Maman, comment est-ce que je suis née ? » La maman répond, un peu embarrassée :

— Une cigogne t'a apportée.

— Ah bon ?… Et mamie, comment est-elle née ?

— Ses parents l'ont trouvée dans une rose.

— Et le papa de mamie ?

— Dans un chou.

La petite fille retourne dans sa chambre, où elle était en train de faire ses devoirs. Elle note sur son cahier : « Il n'y a pas eu de naissance normale dans la famille depuis trois générations. » La naissance physique – la naissance normale – n'est qu'une étape, il nous faut renaître par l'Esprit, dit Jésus. Tout chrétien est appelé à renaître.

Voilà pourquoi Alpha est une annonce de l'Évangile dans le souffle de l'Esprit-Saint. Au fond, c'est l'une des principales raisons, je crois, pour laquelle tant de chrétiens ont trouvé un souffle nouveau en s'engageant dans une équipe Alpha. Ils y ont découvert, ou redécouvert, la joie de travailler en coopération étroite avec Dieu, qui dans cette mission nous appelle, nous saisit, nous équipe, et nous renouvelle.

5

Une pédagogie de la liberté

D ANS LES PREMIÈRES années du TGV, les ingénieurs français voulaient tester la résilience d'un nouveau pare-brise. Or, faisant face à des problèmes similaires, Boeing avait mis au point un canon à poulets pour tester ses pare-brise d'avions. Ce canon projette un poulet (précisons à l'adresse des défenseurs des animaux : il s'agit d'un poulet déjà mort) à la vitesse de décollage sur le pare-brise d'un avion pour mesurer les effets de l'impact. Les ingénieurs du TGV se sont donc mis en contact avec Boeing et ont loué le canon à poulets. Ils ont lu attentivement le manuel, suivi les instructions à la lettre et mis en place le poulet. Premier tir. Paf ! Le pare-brise éclate en mille morceaux, puis le poulet désintègre le tableau de bord, défonce la chaise du conducteur, arrache la porte de la cabine et atterrit au milieu du wagon suivant. Stupeur dans l'équipe. Les ingénieurs réfléchissent, reprennent le manuel depuis le début, vérifient la vitesse d'impact, puis recommencent. Idem : pare-brise explosé, tableau de bord arraché, dégâts colossaux. Les ingénieurs français envoient un mail à Boeing et racontent exactement comment ils ont procédé. Les Américains envoient un mail en retour : « Chers confrères. Vous avez procédé exactement comme il fallait. Seulement, la prochaine fois, utilisez un poulet décongelé ! » C'est par cette petite histoire qui « frappe » les imaginations que, lors des formations Alpha, nous attirons l'attention sur l'importance de suivre les conseils proposés par la méthode.

Mais en amont, se pose une question que nous entendons régulièrement, et qui est légitime : « Une méthode est-elle nécessaire, est-elle légitime même, pour annoncer l'Évangile ? » La question contient en arrière-plan des interrogations qui sont de plusieurs ordres.

D'abord, la considération que l'annonce de la Bonne Nouvelle relève avant tout de la vie, de l'amour, de charité fraternelle, de relation personnelle à Dieu. Si c'est l'Esprit de Dieu qui nous guide, pourquoi y aurait-il besoin d'une méthode ? Après tout, on tombe amoureux et on se marie sans mode d'emploi. Est-ce que la méthode ne risque pas de se limiter à une série de gestes codifiés qui gèleraient le travail de la grâce en l'enfermant dans des schémas ? Bref une méthode, un peu comme la nourriture en boîte, c'est pratique, mais à force d'en manger on attrape des petits boutons… Méthode et vie spirituelle sont-elles compatibles ? La réponse n'est pas immédiate, mais ce qui est important de comprendre ici, c'est que « la méthode » Alpha ne concerne pas d'abord la vie spirituelle, mais le mode de coopération de l'équipe et son organisation.

Une seconde préoccupation quant à l'utilisation d'une méthode tient à l'importance d'encourager la diversité. Certains responsables catholiques sont spécialement soucieux de répéter qu'il n'y a pas de méthode unique d'évangélisation. Nous sommes entièrement d'accord. Je trouve curieux que ce leitmotiv revienne si souvent, tant il me semble que le danger principal qui guette l'Église de

France n'est pas que tous les chrétiens s'entichent de la même méthode, mais plutôt qu'ils conservent leur indifférence par rapport à la nécessité concrète d'annoncer l'Évangile. L'uniformité n'est pas un risque dans Alpha : l'extraordinaire variété des environnements sociologiques et confessionnels dans lesquels ce parcours est proposé le confirme. En simplifiant le travail de chacun, en permettant de démultiplier l'efficacité du travail d'une équipe, Alpha permet au contraire à chaque communauté de montrer davantage ce qu'elle est.

Et puis, surtout, en matière d'annonce de l'Évangile, c'est d'abord celui à qui le message est destiné qui doit avoir la préséance. Pendant la discussion d'un conseil de paroisse qui réfléchissait au lancement d'Alpha, le pasteur objecta : « Ce n'est pas ma sensibilité… » Celui qui portait le projet a répondu : « Mais moi non plus ça n'est pas ma sensibilité. Mais ça n'a pas d'importance. Ce qui compte, c'est la sensibilité des invités. » Et de fait, si nous voulons montrer au monde la pertinence du message évangélique, il nous faut le dire d'une manière que le monde comprenne. Même si le prix à payer est de perdre un peu de notre singularité.

Enfin, derrière l'idée de méthode, il peut y avoir quelque chose d'inquiétant pour les participants. Est-ce que la « méthode » ne mettrait pas en branle des automatismes permettant d'arriver à la conversion, comme une forme de « pensée magique » ? Là aussi, cette crainte s'apaise dès que l'on regarde les choses de près. Tout est fait dans Alpha pour que la liberté intérieure de chacun soit profondément respectée. Convaincue que, dans ce domaine, « le diable est dans le détail », la formation donnée aux équipes y veille de manière méticuleuse.

Les deux experts catholiques désignés par les évêques pour réfléchir à l'introduction du parcours Alpha en

France avaient pris la peine d'analyser la méthode au lieu de se borner aux points théologiques. Le temps ayant passé, leur analyse mérite d'être citée, car elle s'est amplement vérifiée dans les faits. La méthode Alpha « fournit des éléments rassurants » :

> Au premier plan, la volonté que les séances de formation se déroulent dans un contexte ouvertement communautaire : ce sont des paroisses ou des aumôneries qui en assument la responsabilité, dans un climat où l'on évite toute pression de type « sectaire » sur les participants. Visiblement l'objectif n'est pas d'enrôler les participants dans un nouveau mouvement religieux, mais de renvoyer à une vie chrétienne ordinaire.
>
> Plus encore que le contenu des cours, c'est l'ensemble du dispositif qui fait la valeur du parcours proposé. Dans ce climat de respect des libertés, l'initiation à la vie chrétienne se fait immédiatement initiation à la prière et à la mise en présence de Dieu.
>
> Le cadre n'est pas celui d'un face-à-face écrasant entre un leader fascinant et une assemblée, mais celui d'un accueil très convivial par un groupe nombreux au sein duquel se noue un libre débat.
>
> C'est d'ailleurs le caractère joyeux de l'annonce qui précisément va rendre possible par chacun la reconnaissance de son péché et l'entrée dans le repentir, et non pas une lourde opération de culpabilisation.
>
> La convivialité, le climat de liberté, les exposés simples ouvrant sur de vrais débats expliquent certainement le succès de la méthode bien adaptée à la mentalité contemporaine : le texte est celui d'un témoin, facilement lisible, n'hésitant pas à recourir à l'humour mais tout autant à un style d'argumentation qui ne manque pas de force.
>
> Cette méthode semble sans équivalent dans le catholicisme français, étrangement peu équipé en instruments pastoraux permettant une première présentation du mystère de

la foi à un auditoire nombreux de non-initiés. Son usage peut donc constituer un fructueux apprentissage...

Aussi, si l'on veut que l'annonce de l'Évangile reprenne un véritable souffle dans notre pays, il me semble illusoire de le faire sans méthode. Pourquoi ? Nous vivons aujourd'hui, pour la majorité d'entre nous, dans un monde trépidant. La plupart de nos contemporains jonglent avec leurs emplois du temps. Nous devons être de plus en plus mobiles, rapides, efficaces. Dans nos agendas électroniques « surbookés », les sujets de vie spirituelle sont considérés comme secondaires, ou en tout cas non urgents. Quant aux chrétiens, même s'ils sont engagés, le temps qu'ils ont à consacrer à la vie de leur communauté est de plus en plus réduit.

Par ailleurs, le contexte spirituel a changé. L'environnement est profondément sécularisé, et la culture chrétienne des personnes qui ont aujourd'hui moins de quarante ans est proche de zéro. Les titres d'ouvrages parus au cours des dix dernières années sous la plume de responsables ou d'observateurs avisés de la vie ecclésiale française sont du reste assez éloquents : *Vers une France païenne ? Où sont passés les catholiques ? Sommes-nous les derniers chrétiens ? Le Christianisme en accusation ; Pourquoi veut-on tuer l'Église ?* Les chrétiens pratiquants et soucieux de l'annonce de l'Évangile sont devenus ultra minoritaires et doivent, s'ils désirent continuer à être entendus, être plus unis et plus efficaces. À contexte nouveau, nouvelles méthodes.

Mais pourquoi alors ne pas inventer chacun « notre » méthode ? Cela a été et est régulièrement la tentation de tel ou tel qui, après avoir regardé Alpha plus ou moins en détail, se dit : « Je vais faire pareil, mais à ma sauce, ce sera mieux. » Que dire ? Ma réponse, assez terre à terre, c'est que les imitateurs de Nutella™ sont légion, mais cette pâte à tartiner me semble inégalée. Je ne suis pas actionnaire de Nutella™, précisons-le, mais je pense – avec le soutien enthousiaste de mes enfants – que Nutella™ est supérieur à toutes les autres marques qui ont tenté de l'imiter. La raison, c'est que derrière Nutella™, il y a des années et des années d'élaboration et d'expérience irremplaçables. Pour Alpha, c'est pareil. La recette a maintenant été testée sur une trentaine d'années d'expérience d'annonce de l'Évangile. Comme les fabricants de la légendaire pâte à tartiner, nous avons scrupuleusement noté ce qui marche et ce qui ne marche pas. C'est pour cela que la méthode « agit » rapidement.

Les règles sont très simples. Alpha nous aide à nous situer les uns par rapport aux autres, dans la fonction que nous occupons. On constate du reste que lorsque des personnes s'engagent sans avoir été formées, c'est souvent source de discussions et de tensions inutiles. Prenons par exemple la discussion, qui revient dans la plupart des équipes, à propos du moment où l'on doit servir le café. Entre Français, cette discussion peut rapidement prendre un tour passionné. Ce serait sympathique si cela ne résultait pas en pertes de temps et en divisions inutiles. Aussi, Alpha prend nettement parti dans ce débat brûlant : le café comme la tisane et les petits gâteaux doivent être servis *après* l'exposé, juste avant la discussion du petit groupe. Pourquoi ? Parce que la discussion en groupe, spécialement les premières semaines, a toujours un peu de mal à démarrer. Le fait qu'il y ait une légère agitation autour du café et des petits gâteaux fait diversion, évite les silences embarrassés, permet à l'animateur de s'éloigner du groupe quelques instants pour chercher le café et laisser ainsi le groupe discuter sans être gêné par sa présence. Certains considèrent une telle recommandation comme un diktat intolérable, et mettent leur originalité à faire autrement. D'autres adoptent la méthode sans hésiter, comprenant qu'elle contribue à l'unité et à l'efficacité de l'équipe en lui donnant une référence commune. Et c'est précisément parce que l'équipe a l'esprit déchargé des soucis matériels qu'elle peut consacrer l'essentiel de son énergie à l'accueil, à l'écoute de tous, au service et à la prière.

Alors, certes, cette méthode n'a rien d'obligatoire. Elle n'est jamais qu'une méthode d'évangélisation parmi d'autres et l'une des dernières nées dans l'histoire de l'Église, qui totalise deux mille ans d'expérience. Vous n'aurez pas un huissier derrière le dos pour vérifier que vous la suivez à la lettre. Il y a simplement ce bon sens qui est de dire : cette méthode fonctionne, des millions de témoins l'assurent de par le monde. Pourquoi ne pas, à tout le moins, l'essayer telle qu'elle est ?

Pour y parvenir, il faut que les chrétiens soient formés. Alpha propose une formation brève, pragmatique, tout en étant spirituellement ambitieuse. Cette formation, qui dure le temps d'un week-end, touche à la fois au savoir-faire et au renouvellement spirituel. On m'a dit un jour : « Vous formez des médecins aux pieds nus », et ça n'avait pas l'air d'être un compliment. À y bien penser, j'en suis fier. Je ne remets pas en cause la nécessité de formations théologiques longues et structurées. Il faudra toujours des professeurs agrégés de médecine et des CHU ultra sophistiqués. Mais je crois que dans le quart-monde spirituel qu'est devenu notre pays, il est bon que se multiplient les médecins aux pieds nus et les dispensaires de brousse. C'est bien l'esprit dans lequel nous travaillons.

Pour avoir une fécondité, nous devons aussi nous laisser bouleverser dans nos habitudes. Or, nous sommes tous plutôt enclins à conserver nos comportements, habiles pour habiller de raisons spirituelles ou théologiques nos raisons de ne pas faire, au point parfois d'ériger notre paresse en vertu. Trop souvent, ne réagissons-nous pas de manière épidermique à toute perspective de changement par rapport à ce à quoi nous sommes habitués ? On a le droit de rester attaché à ses traditions. Mais pas au risque de perdre de vue l'essentiel, tel cet homme qui en voyage d'affaires passe la nuit à l'hôtel ; le matin, il commande son petit déjeuner à la serveuse : « Je voudrais deux œufs au plat trop cuits, des toasts carbonisés, du beurre surgelé impossible à étaler, un jus d'orange tiède et un café froid. — Mais ça va pas ! répond la serveuse, ça va être très mauvais ! Pourquoi commandez-vous cela ? — Ah, ça me rappelle la maison... »

Soyons attentifs à ce qui est la véritable spécificité de notre communauté. Changer une recette qui a été longtemps éprouvée, au nom d'une recherche d'originalité pour l'originalité, nous fait risquer une chose : au lieu d'être touché par la Bonne Nouvelle que nous recherchons, le monde retiendra que nous sommes des gens de bonne volonté, généreux certes, mais dont les toasts sont carbonisés, les œufs trop cuits, le beurre trop dur, le jus d'orange tiède et le café froid. Ils nous considéreront avec indulgence : « C'est l'Église, après tout. Que peut-on espérer de mieux... » Et ils se seront arrêtés en chemin.

Une autre objection qui revient régulièrement à propos d'Alpha est celle du prosélytisme. La question est délicate, fondamentale, et mérite que l'on s'y arrête. Où est la frontière entre l'annonce de l'Évangile et le prosélytisme ? S'agit-il d'une ligne blanche que l'on franchirait accidentellement ? Le quotidien *Libération,* qui a consacré une pleine page à Alpha et qui résiste rarement au plaisir d'un bon mot, a donné comme titre à l'un des articles : « Alpha, prosélytisme récréatif ». C'est de bonne guerre, mais il faut être clair : l'annonce de l'Évangile telle qu'elle est proposée dans Alpha et la pression sont deux attitudes spirituelles radicalement opposées. Le prosélyte est dans l'ordre de la séduction, dans le désir de subjuguer. L'annonce de l'Évangile se doit d'être profondément respectueuse de la liberté de chacun. La quête spirituelle est l'une des dimensions fondamentales de la dignité de l'homme. Dans Alpha, le disciple du Christ apprend à être toujours plus accueillant à cette quête, quelle que soit la forme qu'elle revêt, et quel qu'en soit l'aboutissement. Jésus n'était pas un homme de pression. Il proposait aux gens de le suivre mais sans jamais faire pression. Par exemple le jeune homme riche. Jésus lui dit : « Si tu veux me suivre, voilà ce qu'il faut que tu fasses. » Et le jeune homme répond : « Je ne peux pas ! » Jésus l'aimait profondément, mais il ne le poursuit pas, il le laisse aller.

La pression est possessive, inefficace, irrespectueuse, nuisible. Elle est radicalement incompatible avec la démarche de liberté avec laquelle chaque personne décide de s'approcher – ou non – du Christ. Les équipes destinées à accueillir les participants le premier soir d'Alpha sont invitées à le faire de la manière suivante : « Nous sommes ravis que vous soyez là. Mais si vous décidez de ne pas revenir la semaine prochaine, personne ne vous rappellera, personne ne vous écrira, c'est votre décision. » Tout au long du parcours, nous demandons de répéter : « C'est vous qui décidez. » La méthode est faite justement pour aider à traquer tout élément de pression, même le plus insidieux. Une jeune femme est venue les deux premières semaines, puis n'a pas pu venir la troisième semaine. À la fin du parcours, elle a raconté : « J'ai guetté pour voir si quelqu'un allait m'appeler. Si quelqu'un avait essayé de me contacter, je n'y serais jamais retournée. Mais comme personne n'a essayé de me contacter, je me suis sentie libre de revenir. »

Néanmoins, en toute rigueur étymologique, le prosély-tisme désigne le zèle dont une personne fait preuve pour répandre la foi. D'une certaine manière, tout chrétien est appelé à cette attitude. Le Christ poussait constamment ses disciples : « Allez vers les brebis égarées ! » ; « Allez dire à Jean ! » Le soir du jour de Pâques, le Christ ressuscité leur apparaît et dit : « Comme le Père m'a envoyé, moi aussi je vous envoie » (Jean 20, 21). Et son dernier commandement est clair : « Allez, de toutes les nations faites des disciples, baptisez-les au nom du Père, et du Fils et du Saint-Esprit, enseignez-leur tout ce que je vous ai appris ! » (Matthieu 28, 19). Le dernier commandement du Christ à ses disciples est clair : « Faites des disciples ! » (et non pas : « Faites des réunions »).

Les chrétiens n'ont pas à avoir honte de parler de leur foi, même si, ces temps-ci en France, le persiflage et le sarcasme vis-à-vis du christianisme sont de mise. Sachons être décomplexés sur ce sujet, à la fois fermes et souples, plutôt « à l'aise dans nos baskets » que « droits dans nos bottes ». Sachons réagir avec fermeté et humour sur le sujet. Comme cette petite fille qui raconte en classe l'histoire de Jonas, avalé vivant par la baleine. La maîtresse la reprend devant les autres : « Cette histoire n'est pas plausible. Il n'y a pas de poisson assez gros pour avaler un homme vivant d'un coup. » La petite fille ne se trouble pas : « Je l'ai lu dans la Bible, je pense que c'est vrai. » Et la maîtresse : « S'il fallait croire tout ce qu'il y a d'écrit dans la Bible… » La petite fille : « Eh bien, je le demanderai à Jonas quand je le rencontrerai au ciel. » La maîtresse ironise : « Et s'il n'y est pas ? » La fillette répond : « Eh bien, vous le lui demanderez ! »

N'hésitons pas à l'annoncer, le christianisme est une très bonne nouvelle. C'est le sens du mot « évangile », « bonne nouvelle ». Avez-vous rencontré un fan de foot au sortir d'un match de championnat où son club a gagné ?

Ou l'un de vos amis qui vient de tomber amoureux ? Ou votre voisin revenu la veille de vacances fantastiques ? Vous savez de quoi ils parlent : du match, de la beauté de leur amie ou de celle de la plage ! Lorsque des choses merveilleuses nous arrivent, nous ne pouvons pas nous taire, cela fait partie de notre nature. Être disciple du Christ, ce n'est pas simplement croire qu'une série d'événements se sont passés historiquement, ou obéir à des règles. Cela change fondamentalement la vie. C'est une manière révolutionnaire de vivre, d'agir, de penser, d'espérer et de prendre des risques. Ça devrait être impossible à dissimuler !

Et beaucoup de gens en ont besoin. Beaucoup dans notre société éprouvent un sentiment de vide, d'une vie aride. Une caravane est perdue au Sahara, la provision d'eau est épuisée. L'un des voyageurs découvre une source. Reste-t-il silencieux ? Non, il va revenir en courant, en hurlant : « De l'eau ! » J'entends parfois : « Attention au prosélytisme. » Mais les chrétiens ne recrutent pas comme un parti politique. Ce sont des gens qui indiquent une source. Une oasis est là, les voyageurs assoiffés décident de ne pas s'y diriger : qui y perd, l'oasis ou les voyageurs ? Parler de sa foi, c'est montrer l'eau disponible, dire à quelqu'un d'assoiffé : « Viens, j'ai trouvé une source ! » Pour le disciple du Christ, annoncer l'Évangile est une obligation d'amour.

Un bon exemple valant mieux qu'un long discours, je vais relater une discussion avec un curé de paroisse, initialement très réticent sur la méthode Alpha, que j'appellerai Jacques pour protéger son anonymat. À la fin d'une des premières conférences de formation, alors que chacun commençait à repartir chez soi, un curé d'environ cinquante-cinq ans s'approche de moi. Un homme à poigne, d'un tempérament solide et théologien respecté, qui a demandé à me voir en particulier. Son visage n'était pas aussi bienveillant que celui des autres participants, aussi me préparais-je à affronter des reproches. Nous avons marché ensemble d'abord sans dire un mot, lui qui ne prenait pas la parole et moi qui ne voulais pas briser le silence. Puis d'un coup, alors que nous étions à l'écart, il s'est mis à me questionner sans ménagement :

— Racontez-moi qui vous êtes !

— Pardon, mon père ?

— Je veux dire, d'où venez-vous, quel est votre itinéraire spirituel ?

Je lui résumai en quelques mots mon parcours, comme si je passais un concours administratif. Une troisième question me fut adressée, toujours de l'eau froide :

— Pourquoi faites-vous tout cela ?

— Parce que je crois pouvoir être un peu utile aux autres en partageant l'expérience qui a renouvelé ma vie.

— C'est tout ?

— C'est tout.

— Qu'est-ce qui vous motive ?

— Que les cœurs s'ouvrent au Christ, mon père. C'est tout.

Cette série de questions précises quant au fond et assez désagréables quant à la forme a duré un bon quart d'heure. Je n'étais plus un adolescent à qui on fait la leçon. J'aurais pu me braquer et lui demander de s'adresser à moi avec un peu plus d'urbanité, mais je me suis prêté au jeu, car l'agressivité n'est souvent que le masque de motivations plus profondes. L'acrimonie n'est souvent que le moyen de ne pas dire ce dont on brûle de parler mais que l'on redoute d'exprimer. J'attendis, sûr qu'on en viendrait au fond du problème, puis le flot de questions commença à se tarir. Je profitai de l'accalmie :

— Tout ce que vous me dites, c'est très bien, mon père, mais au terme de ce week-end de formation, qu'est-ce que vous en pensez ?

À ma surprise, il me m'a plus répondu sèchement mais, d'un ton doux et à voix basse :

— Ma vie a été transformée pendant ce week-end...

— Ah bon ?

— Ça fait trente ans que je suis prêtre, des années que je suis curé. En regardant mon agenda, je me rends compte que je travaille sept jours sur sept quatorze heures par jour, mais quand je fais le point à la fin de l'année, ce n'est guère brillant. Je mesure que je touche toujours le même groupe de personnes, une centaine tout au plus, avec lesquelles je passe le plus clair de mon temps. Le pire, c'est que je ne suis même pas sûr, au fond de moi-même, que je les aie fait progresser. J'ai un goût d'échec à la bouche.

Je me gardai de répondre à ce constat sévère.

— Et puis vous arrivez avec votre méthode, vous parlez d'enseignements, nous venons de passer deux jours ensemble, et pas une seconde vous n'avez abordé le contenu de ces parcours, pour lesquels j'ai fait quatre cents kilomètres en espérant trouver un remède à la situation désastreuse que je viens de vous décrire. Ça m'a mis terriblement en colère, je ne vous le cache pas. Hier, je me suis fait la réflexion que nous étions ici dans une pure mise en scène... Et puis, tout à l'heure, j'ai compris...

— Quoi, mon père ?

— J'ai compris qu'il y avait une amertume dans ma vie, pour tous ces gens qui ne progressent pas avec moi, comme s'ils ne comprenaient pas de quoi je leur parle... Au fond, j'ai passé des années à porter un regard désabusé sur les gens. Je me disais : « Le monde est devenu trop bête pour comprendre ce message, ou trop obtus spirituel-lement. » Je trouvais des explications cache-misère pour ne pas me poser la question essentielle.

— Laquelle ?

— Moi. Mon rapport aux autres et à la foi. Les raisons profondes qui m'ont fait agir et m'ont poussé plus fort que tout à renoncer à une « vie normale » pour devenir prêtre. Et puis vous êtes arrivés guillerets, à virevolter les uns et les autres autour de ce prêtre souffrant, à sourire aux anges alors que je bataillais, seul, comme d'habitude. Qu'est-ce que vous avez pu m'énerver pendant deux jours ! Puis j'ai commencé à comprendre, car sous vos dehors policés, vous nous remettez radicalement en cause.

— De quelle manière ?

— Vous dites tout simplement que si l'époque ne comprend pas le message de l'Évangile, ce n'est pas la faute des gens de l'époque, du « monde », c'est d'abord la responsabilité des chrétiens. Vous imaginez qu'en tant que prêtre, j'ai pris ça de plein fouet. Vous nous dites sans le dire, vous nous faites comprendre qu'au fond, nous les chrétiens, nous sommes responsables. Vous nous dites que nous avons perdu cette chose essentielle qui faisait des apôtres des premiers siècles ce qu'ils étaient : l'audace, l'ardeur et la joie. Vous nous faites comprendre que nous avons perdu le sens de la parole, dans tous les sens du terme d'ailleurs. Vous nous dites que nous avons perdu le sens de l'accueil de l'autre, et en particulier du non-croyant. Vous nous dites que tant que nous n'aurons pas retrouvé ça, le monde, évidemment, restera sourd… Marc, laissez-moi vous dire une chose.

— Je vous en prie, mon père.

— Vous avez raison. Nous sommes responsables. Je suis doublement responsable en tant que chrétien et prêtre. En quelques heures vous m'avez apporté la plus belle chose qui soit. Vous m'avez fait changer de regard sur les autres, sur la façon de faire découvrir, et sur moi-même évidemment. Je viens de retrouver l'ardeur de ma vocation initiale… Pour tout ça, je tenais à vous remercier.

Nous nous sommes séparés sur cet intense moment de fraternité. Ce curé, comme tant de personnes en recherche croisées sur mon chemin, ne demandait-il pas la même chose ? Un peu de chaleur fraternelle, d'amitié et tout simplement de rencontrer enfin quelques « gueules de ressuscités » ? La force du kérygme était ici à l'œuvre, avec un prêtre rompu depuis des décennies à toutes les subtilités de la théologie. De manière un peu perturbante pour lui, il n'était pas entré dans Alpha par l'intelligence, mais par le cœur. Depuis, le père Jacques a mis en place des parcours Alpha.

Mais il n'avait pas tort au fond. C'est vrai que nous n'avions qu'effleuré le fond des enseignements. Nous avons passé beaucoup plus de temps à expliquer comment mettre le couvert, comment répartir et organiser les groupes, comment accueillir les personnes, qu'à aborder des thèmes complexes, de philosophie ou de théologie : comment créer les conditions pour préparer des cœurs, tel celui de Christine, à accueillir la grâce de Dieu.

6

L'apostolat de la fourchette

L A CONVIVIALITÉ À Alpha, nous l'avons vu, n'est pas de l'ordre de l'habileté pour convertir à tout prix ou du vernis un peu superficiel pour se sentir bien entre soi. Je suis toujours un peu désolé lorsqu'on vient me dire : « Nous n'allons pas commencer Alpha, mais nous avons compris le cœur d'Alpha : la convivialité. Alors désormais on va faire un petit kir sympa avant nos cours de caté et je pense qu'on aura capturé comme ça l'essentiel. »

La convivialité n'est qu'une petite partie du sujet. Et elle n'est pas de l'ordre de la méthode, les équipes Alpha ne sont pas des G.O. chargés de l'animation, toujours gais, le sourire professionnel aux lèvres. La convivialité est là, certes, mais elle n'a de sens que si elle est un débordement d'amour, fruit de la proximité de chaque disciple avec son Seigneur. Cette proximité est le fruit de la prière, de la fréquentation régulière et amoureuse de la parole de Dieu, de la vie en Église. C'est là que la « méthode » a son intérêt. Non pas que les chrétiens aient attendu d'avoir une méthode pour prier, aimer et lire la parole de Dieu. Mais dans notre monde trépidant, alors que nous sommes impliqués dans des activités prenantes, Alpha nous aide à nous souvenir que notre annonce de l'Évangile n'a de sens que si elle est profondément ancrée dans notre intimité avec le Christ qui, par l'Esprit-Saint, nous garde en lien avec le Père.

Vu de cette manière, Alpha est une véritable école de disciples. Un lieu où le Christ apprend aux chrétiens à approfondir leur foi, et à se mettre à sa suite. Celui qui entre dans une équipe commence en fait un parcours de formation de disciple, d'apôtre. Jésus formait ses disciples par un mélange d'enseignements et d'expériences concrètes. Les deux sont indispensables conjointement. Imaginons que je veuille pratiquer le parachutisme. On me fait suivre une formation sur les grands principes, l'aérodynamique, les différentes manières de sauter, les types d'avions, la manière de bien plier le parachute, les boucles, les sangles... Puis après deux jours de cours, l'instructeur me dit : « Ça y est, vous savez tout ce qu'il faut savoir. Voilà votre brevet. » Je lui dirais probablement : « Vous vous moquez. Ce que je veux, c'est apprendre à sauter en parachute. Or nous n'avons encore rien fait ! » Imaginons maintenant, qu'à l'inverse, le premier matin où je me présente à l'école, l'instructeur me dise : « Le saut en parachute, c'est une question d'expérience. Il faut sentir les choses avec ses tripes. La théorie ne sert pas à grand-chose. Allez, montez en avion, une fois que je vous aurai poussé, il suffira de vous laisser tomber, le parachute s'ouvrira seul. Vous aurez votre brevet après cinq sauts réussis ! » Là aussi j'aurais quelques objections... Il faut les deux, théorie et pratique. C'est de cette manière que le Christ forme ses disciples. Et, de ce point de vue, la démarche Alpha n'est pas l'organisation de « petites bouffes sympas », mais s'inscrit dans la droite ligne de la démarche du Christ pour former ses disciples. Nous laisserons-nous inviter ?

La lecture de l'Évangile nous montre que Jésus est souvent à table avec ses disciples. Il passe beaucoup de temps en repas et festins divers, avec des gens très différents. Pas tellement l'image que l'on peut avoir de la religion : un peu ennuyeuse, et réservée aux adeptes. Au contraire, on voit souvent le Christ dans des repas joyeux ou festifs, parfois avec des gens pas très recommandables. Ses adversaires s'indignaient : « C'est un glouton et un ivrogne, un ami des gens de mauvaise vie et des percepteurs d'impôts » (Luc 7, 34).

Jean l'évangéliste était le disciple de prédilection de Jésus, celui qui a mis sa tête tout contre le cœur du Christ à l'orée de la Passion, le seul apôtre présent avec Marie au pied de la croix, le premier avec Pierre à avoir vu le tombeau vide et à avoir cru à la résurrection. Il écrit son Évangile plusieurs dizaines d'années après les événements, après la vision grandiose retranscrite dans le Livre de l'Apocalypse, à l'extrême fin de sa longue vie. Et il donne aux repas de Jésus une importance particulière. Son Évangile comprend cinq grands repas, qui sont comme des jalons qui nous aident à comprendre l'intention profonde du cœur de Jésus, et nous font voir très concrètement comment le Christ formait ses disciples. « Vous êtes dans le monde mais pas du monde », leur dira-t-il d'ailleurs au cours de l'un de ces repas. De la même manière, les repas Alpha me semblent être un lieu idéal de formation pour apprendre à vivre cette tension que chaque disciple est appelé à vivre, dans le monde mais pas du monde. Regardons-y de plus près.

« Tout ce qu'il vous dira, faites-le ! » (Jean 2, 1-12)

Galilée. Cana, une noce de village. Deux jeunes gens vont se donner l'un à l'autre. Ce jour-là est particulièrement béni. Ils ne le savent pas, mais le Messie qu'attend Israël est là. Jésus est accompagné de sa mère et de ses disciples. Ce couple ressemble à ceux d'aujourd'hui. Ils ne sont pas particulièrement argentés. Bientôt, le vin vient à manquer, symbole de l'amour humain qui s'épuise, symbole de notre propre relation à Dieu qui se tarit si nous ne l'alimentons pas. Pendant ce repas, Jésus accomplit son premier miracle. Comment cela se passe-t-il ? Marie d'abord s'approche, qui a compris le problème, et dit à son fils : « Ils n'ont plus de vin. » À cette remarque pleine de délicatesse, Jésus répond de façon assez abrupte : « Femme, que me veux-tu ? Mon heure n'est pas encore venue. » Marie s'adresse alors simplement aux serviteurs, en leur disant : « Tout ce qu'il vous dira, faites-le. » Aucun prodige n'a encore eu lieu, mais Marie fait le pas dans la foi avant de voir le miracle.

Ensuite, Jésus s'adresse aux serviteurs et leur dit : « Remplissez d'eau ces jarres. » Démarche intrigante. En réalité, Jésus n'avait pas besoin de demander aux serviteurs de remplir les jarres d'eau. S'il l'avait voulu, il aurait très bien pu les remplir directement de vin, ou bien ouvrir une fontaine dans le mur ou bien, ou bien… Pourtant, ce n'est pas ainsi qu'il a procédé. Jésus demande à l'homme sa participation. Le miracle n'intervient qu'en limite d'impuissance humaine. Cela semble être une constante de ces repas, de son enseignement aux disciples. Faites tout ce que vous pouvez, dans un esprit de service. Allez jusqu'au bout de ce que vous pouvez, vous y ferez l'expérience de vos limites. Et là, dit Jésus, si vous le vivez dans la foi, si vous l'attendez de moi, je prendrai le relais. Faites votre part, je ferai la mienne. Remplissez d'eau les jarres, cela me permettra de la changer en un vin merveilleux, par exemple un saint-émilion 47 (47 avant Jésus-Christ évidemment !).

Nous vivons dans Alpha une expérience comparable. Il suffit de passer quelques soirées avec les participants pour constater la soif qui les anime, la profondeur des questions qu'ils se posent et, en contraste, l'incapacité de nos propres réponses à les éclairer. C'est pour cela que nous insistons beaucoup sur le silence des animateurs, leur capacité d'écoute. Seuls, sans les transformations que Jésus opère, face aux questions vitales que chacun se pose, nos réponses risquent d'être beaucoup plus une piquette qu'un grand cru. Ce repas est une invitation à la foi que Marie, première disciple formée en trente ans de vie à ses côtés, a eue en Jésus, une foi suscitée par l'intimité avec lui. Une foi qui n'a pas eu besoin de voir le miracle pour grandir et pour agir. « Heureux ceux qui croient sans avoir vu ! » dira plus tard Jésus à Thomas. Une foi qui se fait contagieuse, en mettant d'autres en chemin : « Tout ce qu'il vous dira, faites-le ! » Ce repas de Cana et nos modestes repas Alpha sont des lieux où notre foi de disciple s'exerce, se fortifie et porte du fruit. C'est cette foi qui rend possible ce que nous vivons dans Alpha, ce mélange étonnant d'action et d'abandon. Qui nous fait toucher du doigt que nous sommes à la fois dans le monde, mais pas du monde.

« Donnez-leur vous-mêmes à manger ! »
(Jean 6, 1-15)

Jean relate ensuite une scène extraordinaire de multiplication des pains et des poissons, seul événement qui soit rapporté par les quatre évangélistes. Nous sommes maintenant sur une colline. Une multitude de gens a spontanément suivi Jésus. L'Évangile nous dit qu'il y a cinq mille hommes. À l'époque on ne mentionnait que des hommes, ce qui veut dire qu'il y avait peut-être aussi dix mille femmes et quinze mille enfants ! Bref, une foule colossale pour l'époque. Arrive l'heure du repas, en ce lieu éloigné de tout village. Jésus saisit l'occasion pour « mettre à l'épreuve » les disciples. L'air de ne pas y toucher, il demande à Philippe : « Où achèterons-nous des pains pour que mangent ces gens ? » Saisi, le malheureux répond qu'avec un an de salaire, on n'arriverait pas à donner plus d'une bouchée à chacun. Un autre disciple, André, dont l'estomac commençait sans doute à gargouiller, avait repéré un petit garçon avec cinq pains et deux poissons. Cinq pains et deux poissons, c'est beaucoup pour un petit garçon, pas assez naturellement pour toute une foule et, en fait, juste assez pour une troupe de disciples affamés autour de leur maître. Alors André louche sur le pique-nique et le signale à Jésus : « Il y a là un jeune garçon qui a cinq pains d'orge et deux poissons, mais qu'est-ce que cela pour tant de monde ! »

Les autres évangélistes détaillent le dialogue : « L'heure est déjà avancée ; renvoie la foule, afin qu'elle aille dans les villages, pour s'acheter des vivres. » C'est aussi notre tentation à nous. Renvoie-les ! Un curé un peu récalcitrant me disait, exprimant tout haut ce que beaucoup pensent tout bas : « À quoi bon faire Alpha, attirer des nouveaux, il y a déjà tant de monde chez nous dont nous n'avons pas le temps de nous occuper ! » Une autre personne me disait en d'autres termes : « Je suis sûre que dans Alpha on se fait de nouveaux amis. Je l'ai bien constaté. Mais qu'est-ce qu'on va faire de tous ces nouveaux amis, on n'a déjà pas le temps de voir les autres ? » Renvoie-les ! Et là, Jésus leur lance un défi, nous lance un défi : « Donnez-leur vous-mêmes à manger ! » Pour nous faire comprendre que l'Église n'est pas une sorte de « Jesus Club », réservé aux seuls adhérents. Pour aussi nous mettre, avec une certaine rudesse, au pied du mur de nos limites : « Sans moi, vous ne pouvez rien faire. » Nous ne savons pas ce que les disciples ont éprouvé intérieurement. Peut-être ont-ils pensé qu'il avait perdu la tête, car il était naturellement impossible de nourrir tous ces gens. Pour nous aussi, à vue humaine, c'est impossible de nourrir spirituellement ceux qui viennent à ces soirées Alpha dans la France entière. Les participants baignent dans une culture qui ne fait guère plus de place à Dieu, dans laquelle les médias font systématiquement rimer « religieux » avec « extrémisme ». Certains invités arrivent avec une colère contre l'Église, causée par une blessure de jeunesse, beaucoup d'autres sont là, enfermés dans l'indifférence. Comment nos petits repas Alpha, nos cinq pains et nos deux poissons, vont-ils pouvoir produire quelque chose de puissant dans les cœurs ? Alors nous sommes tentés de dire au Christ : « Renvoie-les. »

Nous ne voyons pas comment faire, ni comment Jésus va faire, alors tout bonnement, nous estimons que c'est impossible. D'une certaine manière, c'est le drame de l'histoire de Dieu avec son peuple depuis les origines : quand nous ne sommes pas capables d'imaginer comment Dieu va faire, nous estimons que c'est impossible. Comme nos pères au désert du temps de Moïse. Ils n'ont pas voulu écouter la voix de Dieu, ils se sont laissé prendre à leurs propres plans et à leurs propres peurs. Aussi, au lieu de traverser le désert pour profiter de la terre féconde que Dieu leur avait destinée, ils ont erré, tourné en rond pendant quarante ans. Là où il aurait fallu seulement quinze jours de marche ! Avoir la foi, c'est découvrir une promesse de Dieu… et oser y croire. Cette démarche nous met en possession de ce que nous espérons. « La foi est une manière de posséder déjà ce que l'on espère, un moyen de connaître des réalités que l'on ne voit pas » (Hébreux 11, 1). C'est ce que Jésus enseigne « sur le tas » aux apôtres lors de ce pique-nique sur la montagne. Il le fait de manière pédagogique et pratique, en le leur faisant vivre.

Jésus lance le même défi aux chrétiens d'aujourd'hui : « Donnez-leur vous-mêmes à manger ! » C'est le cœur de ce qui se passe à Alpha, c'est à nous aussi que s'adresse cette demande, « donnez-leur vous-mêmes à manger ! ». Et nous sommes désemparés. Des milliers de gens viennent à nous. Ils sont désorientés comme Christine, ils sont loin de Dieu, ils sont fâchés contre l'Église, ils ont parfois des spiritualités très destructrices ou des modes de vie à l'encontre de nos schémas.

Après les avoir mis au défi et embarrassés, Jésus leur demande leur participation active, par un geste simple : « Faites asseoir les gens sur l'herbe. » Peut-être les disciples ont-ils pensé après coup au psaume : « Le Seigneur est mon berger, je ne manque de rien, sur des prés d'herbe fraîche il me fait reposer. Il restaure mon âme » (Psaume 23(22), 1-3). Ce qui compte avec Jésus, c'est de participer. Et pour leur faire toucher du doigt l'ampleur du miracle, il leur fait ramasser les corbeilles débordantes de restes. C'est ce que des millions de chrétiens expérimentent en entrant dans une équipe Alpha : le contraste entre la faim immense, les besoins multiformes et apparemment infinis de nos contemporains, et la pauvreté de nos moyens. Jésus éduque de cette façon. Ce qu'il demande d'abord aux disciples d'hier et d'aujourd'hui, c'est d'avoir foi en lui, de ne pas nous laisser prendre d'abord par les choses à faire. Le lendemain de cette scène, Jésus répondra à une question : « Que nous faut-il faire pour travailler aux œuvres de Dieu ? » en disant : « L'œuvre de Dieu, c'est de *croire* en celui qu'Il a envoyé. » Ce temps passé auprès du Christ au service des hommes d'aujourd'hui nous fortifie dans notre foi, nous amène comme Pierre à dire à Jésus : « À qui irions-nous ? Tu as les paroles de la vie éternelle » (Jean 6, 68).

« Un parfum d'un très grand prix » (Jean 12, 1-11)

Quelques jours avant sa Passion et sa mort, Jésus prend un repas offert en son honneur dans la maison de Lazare, avec les deux sœurs de celui-ci, Marthe et Marie. C'est une famille que Jésus aimait spécialement, l'Évangile nous le montre à diverses reprises. Jésus venait de ressusciter Lazare. Personnellement, j'aurais bien aimé dîner à côté de Lazare ressuscité, j'aurais eu une ou deux questions à lui poser... Une scène étonnante se déroule pendant le dîner : « Pendant le repas, Marie, ayant pris une livre d'un parfum de nard pur de grand prix, oignit les pieds de Jésus, et elle lui essuya les pieds avec ses cheveux ; et la maison fut remplie de l'odeur du parfum. » Marie de Béthanie et Marie de Magdala, était-ce la même femme ? La tradition populaire l'a toujours considéré, même si les exégètes ne parviennent pas à s'accorder. J'aime à penser que c'est la même. Que la femme qui essuie les pieds de

Jésus avec ses cheveux, après les avoir oints d'un parfum précieux, est la même que celle, pécheresse aux mœurs très libres, de Magdala, dont Jésus avait expulsé sept démons, au début de son ministère. Celle même à qui, la première, Jésus ressuscité se révélera au matin de Pâques. Celle qu'il enverra aux apôtres pour annoncer : « Il est ressuscité ! » C'est pour cela qu'elle est nommée l'apôtre des apôtres. Marie sait tout ce qu'elle doit à Jésus, elle lui doit sa renaissance, la résurrection de son frère. Elle lui est profondément reconnaissante d'avoir été toujours là, dans les moments joyeux de sa vie, comme dans les moments de tristesse, à Béthanie comme à Magdala. Par ce geste, elle signifie sa reconnaissance. Bien sûr il y aura toujours des râleurs, pour dire, comme Judas : « On ferait mieux de donner cet argent aux pauvres… » Mais Jésus confirme bien qu'elle a justement placé sa confiance et ses priorités.

Cette scène a été reprise dans un beau chant de louange qu'utilisent de nombreux parcours Alpha : « Reçois ma vie comme une adoration, reçois mon cœur comme un cadeau d'amour, je n'ai rien d'autre à t'offrir que ce sacrifice vivant, je te donne ma vie pour toujours. J'abandonne sur ton autel, en réponse à ton appel, mes visions, mes ambitions car tu es ma vie, ma passion. À tes pieds, émerveillé, je contemple ta majesté, je te donne, sans compromis, ce parfum de très grand prix. » Ce chant exprime bien l'attitude du disciple que tout chrétien est appelé à devenir. Dans ces soirées Alpha, c'est bien cela que nous sommes éduqués à offrir : au-delà de notre temps, du bon repas, c'est le précieux parfum de notre vie que nous sommes appelés à donner à Jésus. Pour que, comme le note Jean, « la maison soit emplie de l'odeur du parfum », la bonne odeur de notre vie offerte à Jésus, une offrande très éloquente pour le monde.

« Je suis au milieu de vous comme celui qui sert » (Jean 13, 1-20)

C'est encore pendant un repas, la dernière Cène, que Jésus confie son ultime message. Les disciples arrivent dans la salle du repas pascal. Ils se rendent compte qu'il n'y a pas de serviteur pour leur laver les pieds, comme c'était la coutume à l'époque. Or ils ont pas mal cheminé. Ils ont les pieds sales, à cette époque où l'on marche en sandales sur des chemins poussiéreux. Pas de serviteurs : c'est souvent le cas lors de nombreux parcours Alpha : « Il n'y a pas assez de gens dans l'équipe de service. » Pendant que les disciples se grattent la tête en se demandant qui va leur laver les pieds, Jésus, lui, se glisse jusqu'à la cuisine, revient avec une bassine et une serviette à la main et se met à leur laver les pieds. « Lorsqu'il eut achevé de leur laver les pieds, Jésus prit son vêtement, se remit à table et leur dit : "Comprenez-vous ce que j'ai fait pour vous ?" Vous m'appelez 'le Maître et le Seigneur' et vous dites bien, car je le suis. Dès lors, si je vous ai lavé les pieds, moi, le Seigneur et le Maître, vous devez vous aussi vous laver les pieds les uns aux autres ; car c'est un exemple que je vous ai donné : ce que j'ai fait pour vous, faites-le vous aussi" ».

C'est le cœur de l'attitude Alpha : se mettre au service de l'autre, spécialement au moment où on cherche un sens à sa vie. C'est une attitude humble, par les gestes que nous faisons – préparer le dîner, écouter les hôtes. Mais surtout, l'humilité se développe en faisant l'expérience que le travail qui s'opère dans les cœurs est hors de proportion avec notre contribution. Ce que nous faisons a une importance réelle, mais en accomplissant notre mission, nous faisons très concrètement l'expérience de ce que Jésus dit alors à ses disciples : « En vérité, en vérité, je vous le dis, le serviteur n'est pas plus grand que son maître, ni l'envoyé plus grand que celui qui l'a envoyé » (Jean 13, 16). Sacrée leçon qui a dû les laisser assez mal à l'aise. Jacques Prévert en a d'ailleurs souri dans son poème « La Cène » :

> Ils sont à table
> Ils ne mangent pas
> Ils ne sont pas dans leur assiette
> Et leur assiette se tient toute droite
> Verticalement derrière leur tête.

Et de fait, ce dernier repas est stupéfiant d'un bout à l'autre. Il faut dépasser la force de l'habitude pour nous le représenter : Jésus sait qu'il va être trahi, les puissances du monde se sont liguées contre lui pour l'éliminer. Les soldats sont déjà en route pour le capturer. Le simulacre de procès qui aura lieu quelques heures plus tard est en train de se préparer, tandis que le supplice ignominieux et effroyable de la croix se profile. « Crucifié ! », les gens de l'époque voyaient si bien l'horreur et l'infamie de cette mort, qu'ils ne pouvaient entendre ce mot sans frémir. Et lui, devant tout cela, décide néanmoins d'organiser un repas avec ses amis. Comme dirait ma nièce, « il est cool, lui ! ». Pour moi, je pense qu'à sa place j'aurais décampé et pris le maquis. C'est inconcevable humainement.

Pendant ce repas, Jésus va confier des choses d'une importance extrême, que les chrétiens méditent depuis deux mille ans, et dont nous ne cesserons pas de faire mémoire et de revivre jusqu'à son retour. Comme tout ce qui se vit d'important dans l'Église, ce moment est fondateur aussi pour les petites équipes Alpha. La communauté que Jésus a constituée est en train d'exploser : un disciple est sur le point de le trahir ; un autre, qu'il avait désigné pour être la pierre angulaire du groupe, va le renier, et les autres vont s'égailler dans la nature. Devant l'éclatement de cette communauté, lui déclare : « Ceci est mon corps. » Il pose ce geste, par lequel il nous garantit sa présence et nous invite à l'unité. Le grand dessein de Dieu, c'est l'unité de l'humanité en lui. Par leur service dans ces repas Alpha, les disciples d'aujourd'hui montrent au monde, avec la même tranquillité que Jésus au soir du jeudi saint : « Ceci est mon corps », un corps vivant, uni, animé par l'Esprit de Jésus, et qui dit au monde d'aujourd'hui : « Je suis au milieu de vous comme celui qui sert. »

Puis Jésus poursuit : « Ceci est mon sang, le sang de l'Alliance, répandu pour la multitude en rémission des péchés. » Il y a là une phrase d'une extrême importance de l'annonce de l'Évangile au monde, comme le dit Jean : « Le sang de Jésus nous purifie de tout péché » (1 Jean 1, 7). Tant de gens sont écrasés de scrupules, d'un sens diffus de culpabilité. Dans Alpha, nous proclamons que ce sang purifie de tout péché. Je me souviens du regard d'un homme, participant à un parcours Alpha, et dont la rumeur disait qu'il en avait très lourd sur la conscience. Pendant l'exposé, je disais : « Le sang de Jésus nous purifie de tout péché. De tout péché, de tout péché ! » Il a alors relevé la tête, m'a fixé du regard, et sur son visage où je n'avais vu jusqu'ici que de la tristesse, j'ai vu passer une esquisse de sourire, une lueur de joie. Comme un paysage sous un ciel couvert qui s'éclaire soudain quand le nuage glisse et laisse apparaître le soleil. Et ce sang qui sauve est versé « pour la multitude ». La « multitude », c'est la spécialité d'Alpha, ceux qui sont loin, l'inverse du « Jesus Club ». L'Église est là pour ceux qui ne sont pas là. « Mon sang versé pour la multitude. » C'est un élément central de cette première annonce de dire à tout un chacun, quels que soient sa condition de vie, son péché, que Dieu l'aime et veut, s'il le désire, lui accorder son pardon et sa grâce. Qu'il est un Père riche en miséricorde, un cœur divin qui se donne à la misère humaine.

Les deux grands gestes du Christ qui marquent ce dernier repas sont au cœur de ce qui se vit dans Alpha : le lavement des pieds et le partage du pain et du vin, de son corps et de son sang. Les deux gestes sont liés : c'est en nous faisant serviteurs de nos invités de nos parcours Alpha, en leur lavant les pieds, que nous pouvons leur faire découvrir la présence vivante au milieu de nous aujourd'hui du Christ qui a livré son corps et son sang pour la rémission des péchés.

« M'aimes-tu ? » (Jean 21, 1-19)

Le dernier repas relaté par Jean a lieu après la résurrection. Les disciples ont vu le Christ mourir de manière infâme, eux-mêmes n'ont pas brillé par leur courage et leur fidélité pendant ses dernières heures. L'épopée des trois années qu'ils ont vécues avec lui a brutalement pris fin, leur espérance est morte, leurs rêves de gloire évanouis, alors ils retournent pêcher du poisson, sur le lac de Tibériade. Et décidément, ils ne sont pas en veine, car en plus de leurs autres problèmes, ils ne prennent rien. C'est alors que Jésus, qu'ils ne reconnaissent pas, arrive sur le rivage. Il les hèle : « Avez-vous quelque chose à manger ? » « Non », répondent-ils, aussi démunis que le jour de la multiplication des pains. Alors Jésus se permet de leur donner un conseil.

C'est assez provocant quand on y pense. Faites l'expérience vous-même : allez vous promener un dimanche sur les bords de la rivière voisine. Repérez un pêcheur à la ligne spécialement bien équipé, approchez-vous de lui, et demandez-lui, de manière franche et cordiale, en élevant bien fort la voix : « Alors, ça mord ? » En observant sa réaction, vous aurez probablement une meilleure idée de ce que les disciples ont éprouvé en entendant la question de l'homme sur le rivage. Si vous vous en sentez le courage, essayez ensuite de dire à ce pêcheur après avoir jeté un rapide coup d'œil dans son seau : « Hum ! Ça n'a pas l'air de trop bien marcher. Moi, à votre place, j'irais plutôt cent mètres en aval, ça ira beaucoup mieux. » Il y a des chances que vous observiez des lueurs homicides dans les yeux de votre interlocuteur, que vous provoquiez un incident diplomatique. C'est pourtant ce que fait le Christ. Lui le charpentier se paie le luxe de donner des conseils à des patrons pêcheurs chevronnés. « Il leur dit : "Jetez le filet du côté droit de la barque, et vous trouverez." Ils le jetèrent donc, et ils ne pouvaient plus le retirer, à cause de la grande quantité de poissons. » C'est à cela qu'ils le reconnaissent.

Ils rentrent en toute hâte sur le rivage, et découvrent que Jésus leur a déjà préparé le déjeuner. Un beau modèle pour une équipe Alpha, Dieu qui se fait cuisinier... J'aurais tant aimé être à ce déjeuner du lac de Tibériade. Par trois fois, au cours du repas, Jésus demande à Pierre : « M'aimes-tu ? », dans le but d'affirmer son amour pour lui en effacement du triple reniement. Jésus redonne sa chance à Pierre, comme à chacun de nous, indéfiniment. Nouvelle chance qui mène les premiers apôtres sur le chemin de l'aventure chrétienne, au-delà de la croix, au-delà de la mort, le temps où Jésus est vivant pour toujours, et aux côtés de ses disciples chaque jour jusqu'à la fin des temps : le début de l'histoire chrétienne...

Apôtres de la fourchette

Cinq repas donc jalonnent cet Évangile de Jean : trois déjeuners et deux dîners. Plusieurs constantes se dégagent, qui nous aident à nous conformer à l'apostolat de Jésus.

Premier point commun, c'est le cadre de ces repas, qui sont des lieux de la vie ordinaire. Il y en a pour tous les goûts : du dîner aux chandelles de la dernière Cène – ils sont treize à table… – au pique-nique en plein air avec plus de dix mille personnes en passant par le banquet de noces, le dîner familial et le barbecue sur le lac. Aucun de ces enseignements n'est donné dans une synagogue ou au Temple. Il s'agit d'aller chercher les gens là où ils sont. C'est l'une des attitudes fondamentales d'Alpha qui, de la même manière, annonce la Bonne Nouvelle du Royaume dans des contextes les plus divers : appartements, bureaux, aumônerie, prison… Alpha apprend aux chrétiens une manière différente de vivre l'Église. Un grand patron chrétien qui découvrait Alpha nous confiait vers la fin de sa vie : « Pour moi, j'ai toujours considéré que la paroisse était un lieu de culte. Un lieu où l'on se rendait le dimanche et que l'on quittait rapidement une fois la liturgie terminée. Je me rends compte maintenant que la paroisse, c'est plus que ses quatre murs et la liturgie : c'est une communauté vivante, qui peut se tourner vers l'extérieur pour y témoigner joyeusement du trésor qu'elle a en elle et le partager. » Alpha nous aide à nous déplacer dans nos habitudes, y compris physiquement, sans attendre des autres qu'ils fassent nécessairement le premier pas pour aller à l'Église.

Deuxième point commun, ces moments sont des occasions de fête, des lieux où le cœur est allégé et plus disponible. Le repas est un cadre bien particulier pour un enseignement. La nourriture et le vin dilatent les papilles, le cœur et l'intelligence. L'aspect convivial fait tomber les murailles entre les personnes, spécialement à notre époque d'individualisme forcené. En même temps, ces repas ne sont pas des « happenings » vides de sens, où notre époque est friande de faire la fête pour faire la fête, sans savoir vraiment pourquoi. La dernière Cène n'est pas un « happening », pas plus que les repas Alpha. Ce sont des moments privilégiés de fraternité humaine et d'ouverture des cœurs. Le Christ nous voit capables de recevoir le message, et nous y livre les secrets de son cœur. Le repas est un formidable moment pour faire la rencontre du message évangélique.

Troisième point commun, ces repas s'avèrent des lieux de défi pour les disciples, pour tout chrétien. À chaque fois, les disciples sont placés en déséquilibre par Jésus, qui leur demande de faire un pas dans la foi. Dans Alpha, nous sommes amenés à découvrir la même chose : c'est quand nous avons atteint les limites de nos possibilités que Jésus intervient. Il nous faut faire l'expérience de notre pauvreté et la reconnaître pour que Jésus intervienne : nous n'avons que des jarres d'eau au lieu de vin pour les noces, que cinq pains pour nourrir des milliers de gens, qu'un flacon de parfum pour exprimer la reconnaissance d'une vie transformée, aucune aide pour nous laver les pieds, et pas de poisson dans nos filets. Dans Alpha, nous sommes en permanence placés en déséquilibre, en situation de pauvreté éprouvante. Souvent on se demande : « Combien de gens vont venir, combien de plats faut-il préparer ? » Et l'on découvre la réponse par la prière et l'expérience.

Une illustration parmi bien d'autres semblables : les membres d'une équipe Alpha hésitaient sur le nombre de couverts à mettre à table le soir du dîner de célébration. Après avoir prié, ils ont senti que le bon nombre était quatre-vingts, ce qui leur semblait disproportionné par rapport à la taille de la paroisse. Le soir venu, au début du dîner, soixante-dix-neuf personnes sont venues. Et au début de l'exposé, la porte d'entrée a crissé, un dernier participant est arrivé en demandant timidement s'il y avait une place... Nous sommes ainsi poussés à une multitude de petits gestes de foi, qui nous font grandir. Nous faisons notre partie, Jésus fait la sienne.

Dernier point commun à ces repas, ce sont des moments où Dieu nous livre des signes. Ces signes laissent entière notre liberté, ils ne forcent pas l'éclosion de la foi. Dans le repas de la multiplication des pains, des multitudes de gens sont témoins du miracle et, pourtant, la plupart d'entre eux repartent comme ils étaient venus. Le Christ pose des jalons, il sème, viendra plus tard le temps de la récolte. Il arrive que dans Alpha, des signes forts et visibles soient donnés : guérisons physiques, ou intérieures, addictions à la drogue ou à l'alcool soudainement levées, mariages restaurés, vies transformées. Le journal gratuit *Alpha News* publié trois fois par an publie certains des témoignages. La démarche aide les chrétiens à retrouver une annonce de l'Évangile qui combine la parole et les œuvres avec les signes et prodiges. C'est pour cela qu'Alpha pousse les chrétiens à l'intercession incessante, à demander à Dieu de combler les besoins du monde. Et en même temps, une extrême vigilance est exercée pour que la liberté de chacun soit bien respectée, notamment par rapport au signe lorsqu'il vient. Pour que le signe, même s'il interpelle, laisse libre chacun de le recevoir, ou non, comme une manifestation de l'amour et de la puissance de Dieu.

En privilégiant les repas, Alpha va donc nettement plus loin que le côté sympa et convivial du kir ou des gâteaux secs pour faire passer la pilule du message. Il ne s'agit pas d'enjoliver mais de vivre une démarche profonde, de renouer profondément avec le message du Christ qui a livré certains des plus précieux secrets de son cœur pendant un repas.

7

Apprendre et désapprendre

P AR CES REPAS, cet accueil de ceux qui sont en recherche, le parcours Alpha joue un rôle d'école de disciple pour ceux qui s'engagent dans l'équipe. Il aide le chrétien à apprendre de nouvelles attitudes, à se départir d'anciennes habitudes pour faire progressivement de lui un chrétien contagieux. Devenir disciple, c'est entrer dans une dynamique nouvelle : apprendre – désapprendre – apprendre... Sur quoi portent cet apprentissage et ce désapprentissage ?

Une main tendue : l'invitation

Pour beaucoup de nos contemporains qui s'interrogent sincèrement sur l'existence de Dieu, celui-ci leur paraît lointain, silencieux, enveloppé de la solitude glacée du ciel, difficile à saisir. Au risque de paraître provocateur, j'ai envie de dire que découvrir Dieu n'est pas si difficile. Le principal est de se mettre en marche pour le chercher. À sa manière, Blaise Pascal encourage ceux qui se désolent de ne rien éprouver en faisant dire à Dieu :

« Console-toi, tu ne me chercherais pas si tu ne m'avais trouvé. »

Depuis longtemps le prophète l'a proclamé : « Cherchez le Seigneur tant qu'il se laisse trouver, invoquez-le tant qu'il est proche » (Isaïe 55, 6). Certes, Dieu n'a pas attendu le parcours Alpha pour se laisser depuis des siècles découvrir comme un Dieu vivant, aimant, qui recherche l'amitié de l'homme, et désire combler chacun de bénédictions spirituelles. Des générations d'hommes et de femmes ont eu leur vie transformée par lui. Mais si Dieu n'a pas attendu Alpha, je suis convaincu qu'il l'a suscité. Ce parcours de découverte de Dieu est jalonné par quelques grandes étapes, où tous, membres de l'équipe et participants, avancent ensemble vers la (re)découverte du Dieu vivant, révélé en Jésus-Christ.

La toute première étape, c'est l'invitation, aspect essentiel dans la culture profondément déchristianisée qu'est devenue la nôtre, car la transmission de la foi est en voie de rupture rapide. Quelques chiffres. Le nombre de prêtres en France est passé d'environ cent mille au début du XX⁰ siècle à cinquante mille après la Seconde Guerre, trente mille en 1985, dix-huit mille en 2005 et les projections donnent une estimation de cinq mille prêtres en activité d'ici sept ans, c'est-à-dire demain. En regard de cela, il y aurait en France environ quatre-vingt mille devins, guérisseurs et diseurs de bonne aventure en tout genre. En 2005, nous avons atteint en France pour la première fois le seuil de plus de la moitié d'une génération d'étudiants qui ne sont pas baptisés et n'ont aucune éducation chrétienne.

De nombreux chrétiens en position de responsabilité voient bien les évolutions, mais semblent paralysés par ces perspectives. Une grande partie de l'énergie semble être consacrée à accompagner le déclin : regroupement de paroisses, formation d'équipes de laïcs pour « faire » ce que faisaient jadis les vicaires, multiplication des assemblées « en l'absence de prêtre ». Lorsqu'on aborde le sujet, la réponse est souvent, avec une pointe d'agressivité qui est probablement due à notre maladresse : « Mais il se passe des choses très vivantes ici. » Ce qui nous semble important n'est pas qu'il se « passe toujours des choses », comme aux Galeries Lafayette, mais que des communautés unies, priantes, accueillantes grandissent et soient de manière visible pour le monde des lieux vivants de pardon et de fête. Pour nous encourager, songeons qu'il y a de nombreux lieux où le christianisme est dynamique, où les communautés chrétiennes grandissent, où les vocations de personnes qui consacrent leur vie au Seigneur sont nombreuses. Dans le monde entier – hormis l'Europe et les États-Unis qui, repus, se sont assoupis spirituellement –, le christianisme est en expansion rapide, à un taux plus rapide que la croissance de la population mondiale. De très grands pays chrétiens, tels le Brésil ou le Congo, fonctionnent avec une proportion de prêtres ou de pasteurs par habitant bien inférieure aux nôtres, parfois dans un facteur de 1 à 10. Dans ces pays, les chrétiens ont un sens très vif de la responsabilité de chacun dans la transmission de la foi. Ce travail n'est pas réservé aux spécialistes, aux catéchètes ou à une minorité active.

Depuis deux mille ans, les chrétiens se passent le mot : « Viens, vois. Amène tes amis ! » La plupart des gens qui arrivent à Alpha sont là parce qu'un ami a fait le lien. L'amitié confiante est la première marche à gravir avant d'aller plus loin sur le chemin. Pour la plupart, les gens invités par quelqu'un qui les aime viennent. Bizarrement, l'obstacle n'est souvent pas dans le cœur des invités, mais bien dans le cœur de ceux qui invitent… Ce qui est essentiel, c'est que cette invitation se fasse dans le contexte d'un dialogue en confiance. Invitez largement, mais des gens que vous connaissez. C'est pourquoi je reviens à ce principe de base. Il faut que cela soit un ami qui invite un ami, d'une façon proche et personnalisée. Le sujet de l'invitation nous renvoie à des questions fondamentales quant à notre foi : Suis-je préoccupé de la destinée éternelle de ceux qui nous entourent ? Est-ce que j'aime véritablement mon prochain comme moi-même ?

Titre de la une du *Monde*[1] : « Dépression, anxiété, suicide : les chiffres d'un mal français. » Rappelons ici quelques statistiques, où la France vient généralement et malheureusement en tête du palmarès européen[2] :

– La consommation des médicaments hypnotiques, sédatifs et antidépresseurs est en augmentation constante. 20 % des Français, soit treize millions, souffriraient de troubles psychiques et comportementaux.

– Environ quarante mille jeunes de quinze à vingt-quatre ans font chaque année une tentative de suicide, un nombre qui a triplé depuis les années 1960. Chaque quart d'heure en moyenne, un jeune de quinze à vingt-quatre ans tente de se suicider.

– Cent vingt mille divorces par an, un nombre quadruplé depuis 1960. La probabilité qu'un couple divorce est aujourd'hui de 4/10. Les deux tiers des couples qui divorcent ont des enfants.

– Deux cent vingt mille avortements sont pratiqués chaque année, un avortement pour trois naissances.

– Près de dix mille viols par an. En dix ans, les condamnations pour viols sur mineurs ont été multipliées par quatre. Les violences sexuelles sont devenues la première cause d'incarcération.

---

1. 24-25 octobre 2004.
2. Francoscopie 2003.

L'article du *Monde* remarque : « Ces résultats traduisent le mal-être ambiant, la réalité d'une anxiété diffuse, chronique, qui touche énormément de personnes. » Nous voyons ainsi toute une société, les jeunes en particulier, dépouillés de leur faculté de croire que l'on peut aimer et se laisser aimer en confiance, laissés à demi morts par l'isolement, la solitude, la déprime.

Comment les inviter ? L'essentiel est de se laisser pénétrer et imbiber par la Parole de Dieu avant de témoigner. C'est ce qui animait Madeleine Delbrêl (1904-1964). Convertie à vingt ans, la jeune fille s'est sentie appelée à « une vie au coude à coude avec les pauvres et les incroyants ». Assistante sociale, elle s'installe en 1933 à Ivry, en pleine banlieue ouvrière. La mairie communiste, qui apprécie ses qualités humaines et professionnelles, lui confie le service social du canton. Elle crée une coopérative de production ouvrière, milite pour la justice et le respect de l'homme et fait connaître Dieu en pleine « ville marxiste ». Voici ce qu'elle écrit dans *Missionnaires sans bateau* :

> La Parole de Dieu, on ne l'emporte pas au bout du monde dans une mallette : on la porte en soi, on l'emporte en soi. On ne la met pas dans un coin de soi-même, dans sa mémoire, comme sur une étagère d'armoire où on l'aurait rangée. On la laisse aller jusqu'au fond de soi, jusqu'à ce gond où pivote tout nous-même. On ne peut pas être missionnaire sans avoir fait en soi cet accueil franc, large, cordial, à la Parole de Dieu, à l'Évangile. Cette Parole, sa tendance vivante, elle est de se faire chair, de se faire chair en nous. Et quand nous sommes ainsi habités par elle, nous devenons aptes à être missionnaires. Une fois que nous avons connu la Parole de Dieu, nous n'avons pas le droit de ne pas la recevoir ; une fois que nous l'avons reçue, nous n'avons pas le droit de ne pas la

laisser s'incarner en nous ; une fois qu'elle s'est incarnée en nous, nous n'avons pas le droit de la garder pour nous ; nous appartenons dès lors à ceux qui l'attendent.

Un paroissien de Sainte-Marie des Batignolles à Paris explique ainsi comment il s'y prend pour inviter : « Dans les semaines qui précèdent le lancement du cours, j'ai toujours sur moi quelques invitations. Je prie afin d'avoir l'occasion d'en parler avec deux ou trois personnes que je connais. J'invite, en règle générale, les personnes que je connais assez bien : si elles ont confiance en moi, elles réagissent de façon positive. Je demande à Dieu de me donner un moment propice où la personne sera ouverte à mon invitation. Je prie aussi pour trouver les mots justes. Le plus souvent, je donne mon invitation de la main à la main. Je propose de venir avec mon invité la première semaine, s'il le souhaite. Quand les gens me disent "non" ou bien disent "oui" mais ne viennent pas, je ne suis pas déçu. Je crois que mon invitation fera son chemin, même si je n'en connais pas les retombées. Pour moi, c'est simplement un geste fraternel, un signe que je suis chrétien et que je tiens à eux. » L'essentiel, pour le résumer, est d'avoir prié avant, d'être attentif aux rencontres et d'avoir ensuite l'audace nécessaire pour tendre le carton d'invitation et dire « viens et vois ! ».

Un esprit ouvert : l'accueil

Une grande majorité des personnes qui viennent à Alpha sont très étonnées du nombre important de membres à l'accueil et au service. Elles le sont pour ce qu'elles sont, avant même de rentrer dans le fond des questions. Ce n'est pas si fréquent. Un invité a dit un soir au curé qui le recevait : « C'est accueillant ici, ce ne doit pas être catholique. » Ce n'est pas très flatteur pour nous, mais il faut entendre ce que les gens pensent de nous parce que le Seigneur nous commande de faire le premier pas vers nos frères. Si nous ne le faisons pas, qui le fera ?

Les participants apprécient le climat de liberté qui règne, le fait de pouvoir ou non revenir aux soirées suivantes. Un couple non pratiquant et d'une foi incertaine a témoigné : « C'est parce que l'on a vu qu'on ne nous mettait pas la main dessus que l'on a pu faire un pas de foi et ouvrir notre porte au Seigneur... On pressentait que lui non plus ne nous mettrait pas la main dessus. »

Par ailleurs, Alpha est gratuit, hormis la modeste participation aux frais du repas, d'ailleurs souvent facultative. Les participants y sont très sensibles. D'abord, parce qu'elle renforce l'esprit de liberté puisqu'il n'y a pas d'engagement à l'avance. Il y a également là un aspect rassurant dans l'esprit des gens, craintifs par rapport aux sectes. Surtout, plus profondément, cette gratuité est déjà un reflet humble mais réel de la gratuité de la grâce de Dieu.

Les gens sentent en nous, sans qu'il soit besoin de le dire, que nous donnons le meilleur de nous-mêmes pour les choses les plus simples. Que nous fassions tout d'une manière telle que notre attitude – et au-delà de la soirée Alpha, toute notre vie – n'aurait pas de sens si Dieu n'existait pas. Un jour, un cadre supérieur avait été invité par un collègue à un dîner Alpha. Il est venu. Il s'est rendu compte que l'ami qui l'avait invité avait pour fonction peu reluisante de ramasser les reliefs du repas pour les mettre dans un sac-poubelle, ce qu'il ne faisait sans doute pas chez lui. Curieusement, c'est ce spectacle un peu trivial des assiettes en plastique jetables et des os de poulet qui lui a fait découvrir le Christ. Pourquoi ? Parce qu'il s'est dit la chose suivante, m'a-t-il rapporté : « Ce collègue qui m'a invité, je le connais bien. On fait le même métier, on a un style de vie comparable, les mêmes types de préoccupations professionnelles ou familiales. Pourtant lui prend la peine, tous les mercredi soir, de venir dans cette salle paroissiale et de nettoyer la table. Il doit donc y avoir quelque chose dans sa vie qui l'habite, que je ne vois pas, que je ne saisis pas, mais qui est là. Et c'est cela qui m'a donné envie de poursuivre. » C'est cela que signifie agir d'une manière telle que nos actes n'auraient pas de sens si Dieu n'existait pas.

Que celui qui accueille sur le parking accueille du mieux qu'il peut avec compétence, bienveillance et avec le sourire. Après tout, c'est lui qui, pour beaucoup, est le premier visage de l'Église ! Que celui qui fait la cuisine fasse la meilleure cuisine possible, le meilleur café possible, que l'animateur dispense la meilleure animation de groupe possible, le meilleur exposé possible, etc. Non pas parce que l'on souhaite à Alpha développer la culture du zéro défaut, comme chez IBM ou Toyota. C'est pour une raison beaucoup plus importante que cela. En faisant de notre « mieux mieux mieux », diraient les scouts, nous laissons entrevoir que ce que nous faisons, nous le faisons pour la gloire de Dieu et l'avènement du Royaume en chaque cœur. Cette attitude intérieure est capitale, parce qu'elle suscite puissamment l'interrogation chez les participants, elle les met en route.

Là, il n'y a pas que l'invité qui chemine, mais aussi le membre de l'équipe Alpha. Cela peut paraître étrange, mais dans l'invitation et l'accueil, on peut vivre un combat spirituel de première importance, marqué par le doute. Doute quant à la pertinence de proposer ou non son carton d'invitation, doute que des petits gestes en apparence insignifiants pourront avoir leur importance dans la mise en marche des hommes et des femmes qui viendront à notre rencontre et découvriront ainsi peut-être le Christ. À la rigueur, nous voulons bien croire aux miracles dans un autre temps, une autre époque, mais pas pour nous, maintenant, aujourd'hui : plus Dieu est absent et relégué dans les limbes de l'histoire, plus nous le croyons puissant ; plus il est présent et inscrit dans le quotidien, plus nous l'évacuons, probablement par peur de voir, justement, sa puissance à l'œuvre dans les cœurs.

Considérez l'exemple du conjoint en colère contre l'Église depuis vingt ou trente ans. On ne croit pas pouvoir changer le cœur de notre conjoint, parce que celui-ci est très proche de nous et met directement en cause la profondeur de notre foi. Parce que je ne vois pas comment Dieu pourrait changer un cœur que je connais si bien, je ne fais rien. Or, ce combat pour la foi se joue beaucoup dans le cœur du croyant. Ce doute, c'est le même depuis quarante siècles. Depuis Abraham, le peuple de Dieu doute régulièrement de son Seigneur. Comme il n'imagine pas comment Dieu pourrait bien faire, il estime que c'est impossible. On le voit dans l'épisode où le peuple tourne en rond pendant quarante ans avant d'entrer en Terre promise. Les spécialistes estiment que pour faire ce trajet à pied, il faut quinze jours au plus. Eux ont mis quarante ans, toute une génération y a perdu la vie, faute d'avoir eu confiance en Dieu.

Dans une conférence de formation Alpha à Lyon, où j'évoquais des guérisons à propos de la soirée « Dieu guérit-il encore aujourd'hui ? », une dame m'a interrogé d'un air méfiant : « Toutes vos histoires de guérison se passent à l'étranger. Mais en France, est-on bien sûr que ça marche ? » Je lui ai raconté une belle et incontestable histoire de guérison qui s'était produite dans une paroisse de la région parisienne. Cela ne l'a pas le moins du monde déridée. Elle m'a scruté d'un air plus suspicieux encore, et a simplement demandé : « Oui, mais, à Lyon, ça marche aussi ? » Nos cœurs sont lents à croire, comme l'était celui de Thomas, au soir de la résurrection. Et ces soirées Alpha sont pour les chrétiens qui s'y impliquent de merveilleuses écoles de foi, où, tout en accueillant l'autre, il leur arrive d'entendre Jésus murmurer à leur cœur : « Cesse d'être incrédule, sois croyant. »

Une bouche qui parle de Dieu simplement

Passé les étapes de l'invitation, de l'accueil et du dîner, vient le temps de l'exposé. Les exposés Alpha ont une touche assez unique. Ils sont clairs, didactiques, humoristiques. Au fil des années, ils ont été conçus pour répondre aux principales questions que se posent les participants. Ils leur permettent de lever une série d'objections qui les auraient empêchés, quelques semaines auparavant, de faire le moindre pas. Progressivement, les invités avancent, remarquant souvent : « Je ne sais pas si je peux y croire, mais ça a un sens. » Dans les exposés, une grande partie du puzzle se met en place. Ces exposés sont le fruit d'un travail de plus de vingt ans, patiemment peaufinés en fonction des réactions des uns et des autres et sur la base de questionnaires fouillés, repris inlassablement pour « parler » le mieux possible à nos contemporains.

Olivier, mon plus proche ami depuis près de vingt ans, oscillait entre la position de l'athée et celle de l'agnostique. Polytechnicien, sorti dans la botte, extrêmement intelligent, sans arrière-fond religieux particulier. Je me souviens que dès notre premier dîner ensemble, alors que nous étions encore étudiants, je lui ai parlé du Christ et de l'importance que la foi tenait dans ma vie. Il m'a répondu qu'il n'avait pas les éléments pour trancher. Notre dialogue, proche et amical, s'est ainsi poursuivi pendant dix-huit ans, et il continuait de me dire régulièrement que rien de ce qu'il avait lu au fil des années sur le sujet ne lui permettait de changer sa position. Après tout ce temps, il a décidé de suivre Alpha, sans m'en parler au début. Puis, au bout de cinq à six semaines, il m'a raconté :

— Je suis un parcours Alpha.

— Est-ce que cela a changé quelque chose dans ta vie ?

— Non, je n'ai toujours pas la foi. Mais désormais je prie et je lis la Bible chaque jour.

Je me suis dit : « Il n'a pas l'air trop mal parti… » Puis je lui ai demandé :

— Y vois-tu plus clair ?

Là, l'intelligence polytechnicienne a repris le dessus :

— Après ces quelques semaines, il me semble que l'algorithme du christianisme est juste. Mais je ne sais pas si l'hypothèse sous-jacente est vérifiable.

— Va au week-end sur l'Esprit-Saint, et tu verras bien si l'hypothèse sous-jacente se vérifie ou non !

Il a vécu ce week-end paisiblement, presque déçu qu'il ne lui soit pas arrivé une conversion subite « à la Claudel ». Mais son cœur et son intelligence ont été touchés, il sait désormais que l'hypothèse d'un Dieu vivant, proche et amical est « vérifiable ». Quelque temps plus tard, il a demandé le baptême.

Je dois dire qu'au début, quand j'ai découvert les exposés Alpha, ils m'ont paru superficiels, voire simplistes. Aussi la première fois que j'ai moi-même dû les donner, j'ai « enrichi » le texte à l'aide d'autres auteurs chrétiens que je lisais régulièrement et qui, me semble-t-il, disaient les choses bien mieux. J'ai rapidement observé un curieux phénomène : chaque fois que je sortais du texte original pour donner ma version « améliorée », l'auditoire commençait à décrocher. Chaque fois que je revenais au texte originel, hop ! les gens sortaient de leur torpeur et recommençaient à être attentifs, alertes. Cela m'a paru très étrange, comme si l'auditoire devinait là où j'avais fait les changements. Avec le temps, j'ai compris ce qui se passait. Ma version « améliorée » me plaisait à moi, qui avais derrière moi plus de quinze ans de vie chrétienne. Mes fameuses améliorations convenaient bien à des chrétiens chevronnés, mais étaient inaudibles pour les invités. Imaginez le réveillon de Noël, toute la famille réunie autour de la traditionnelle dinde aux marrons. Sur sa chaise haute, le petit dernier, âgé de huit mois. Vous vous dites : « C'est trop bon, il faut qu'il goûte ça. » Et, animé des meilleures intentions du monde, vous lui donnez un pilon ! Croyez-vous qu'il s'en régalera ? Non, il y a même des chances que le pilon passe par-dessus bord et rejoigne le hochet et le petit-suisse qu'il a déjà envoyés par terre – je parle d'expérience. Si vous voulez vraiment lui faire plaisir, il va falloir prendre un bout de blanc de dinde, retirer la peau, dépiauter le morceau, le mixer avec des légumes et un peu de sauce, et le lui donner avec amour, une cuiller pour papa, une cuiller pour maman... Là, il se régalera ! C'est pareil avec les nouveaux chrétiens, il faut leur donner une nourriture qui convienne, le « bon lait spirituel » dont parle Paul.

Plusieurs curés et pasteurs, et non des moindres, m'ont confié au fil des années à quel point donner les exposés Alpha leur avait permis de renouveler leur pratique de la prédication, en la rendant plus vivante, plus légère, plus percutante, plus inspirée. Aux débuts d'Alpha en France, un groupe de théologiens catholiques s'est livré à une analyse détaillée du texte. Ils se sont dit : « Examinons, chapitre après chapitre, paragraphe après paragraphe, phrase après phrase, si l'on pourrait mieux dire les choses. » L'un d'eux nous a dit, après un an de travail : « Ce n'est pas faute d'avoir essayé, mais il faut garder le texte tel qu'il est. Sous son apparente simplicité, il est très sophistiqué. Chaque phrase a son importance. Certains thèmes – la croix, l'Esprit-Saint, l'expérience de Jésus vivant, l'amour du Père – semblent se répéter, mais en fait ils sont repris de manière transversale et constituent la trame de la pensée. Nous avons décidé de ne rien y toucher, car nous sommes bien conscients qu'autrement nous perdrions son caractère percutant. »

Après dix ans d'expérience de ces exposés, je ne peux donner qu'un conseil aux orateurs : conservez les exposés tels qu'ils sont. Ils ont été travaillés et retravaillés par un pasteur qui a consacré une grande partie de son temps et de son intelligence depuis vingt ans à rendre l'Évangile accessible à tous. Le texte a été traduit dans plus de cinquante langues et a permis à des millions de personnes de découvrir l'Évangile.

Passé mes premières tentatives au résultat lamentable d'améliorer ce texte, je me suis posé la question : « Qui suis-je pour penser améliorer en quelques heures de travail une approche qui a porté tant de fruits ? Est-ce vraiment l'amour de ceux que Dieu envoie qui m'inspire, ou bien l'amour-propre ? » Posez-vous cette question stimulante à votre tour. Toute votre énergie mentale et spirituelle, placez-la plutôt à trouver les meilleurs témoignages personnels dont vous jalonnerez votre texte, c'est à travers cela que les participants découvriront la présence de Dieu dans votre vie. Vous verrez rapidement les fruits de ces efforts et de votre attitude de simplicité devant le texte préparé par un autre.

Une oreille attentive : le dialogue

Le groupe de discussion est considéré par les participants comme étant de loin ce qui est le plus important dans Alpha. Ils apprécient d'y avoir une totale liberté dans l'échange, un respect de la personne accueillie, qui est très palpable. Il n'y a pas de regard de jugement de l'autre. Aucune question n'est considérée comme inintéressante ou farfelue. Ce qui frappe d'abord quand on arrive dans un repas Alpha, c'est l'atmosphère de bienveillance qui y règne. Or cela n'est pas forcément naturel. Tout comme l'invitation et l'accueil, l'écoute est un point qu'il faut aussi beaucoup travailler pour les animateurs. Notre époque assez bruyante a perdu en délicatesse, notamment en termes d'écoute. Trop rares sont les chrétiens capables d'une écoute véritable. J'en parle en connaissance de cause, car il m'a fallu sur ce point une petite rééducation.

Le premier réflexe des chrétiens engagés dans l'Église est souvent d'expliquer, de justifier, de répondre à un argument par un autre argument. Certains sont plus habiles que d'autres, mais l'attitude de fond est la même : « Laisse-moi t'expliquer la vérité que je détiens. » Et si la personne exprime ce que nous estimons être une erreur, nous sommes généralement prompts à le lui montrer. Or en réalité, tant qu'une personne n'a pas exprimé – et n'a pas été entendue – dans ses objections et ses blessures par rapport à l'Église ou à ses images de Dieu, elle ne peut pas progresser dans une démarche de foi. Cette attitude d'écoute et de respect fondamental de la démarche de celui qui parle doit être sans cesse éduquée chez les chrétiens. C'est l'un des points importants de la formation dispensée aux membres des équipes. Non pas comme une habile technique d'animation. Mais par respect de la personne en recherche, et par conviction, dans la foi, que l'Esprit-Saint est déjà à l'œuvre dans son cœur. C'est pour cela que la liberté d'expression est totale, à l'image d'ailleurs de celle que Dieu lui-même laisse à chacun. Alpha n'est pas un « discours sur Dieu » comme on en trouve dans de nombreuses formations mais une « rencontre de Dieu ». Cela change totalement la perspective : le but du parcours n'est pas d'accumuler une connaissance et de cocher le maximum de réponses justes, mais de permettre la rencontre de chacun avec un Dieu vivant et aimant.

Quand j'ai suivi Alpha pour la première fois, j'ai observé que dans mon groupe, Paul, l'animateur, ne disait rien ou presque. Loin d'être « paumé », il était attentif et distribuait judicieusement la parole pour la faire circuler entre les participants. Souvent un regard de lui suffisait. Et pourtant, ce n'était pas faute de choses à raconter. Après un bref passage dans l'armée, il avait vécu avec une jeune femme qu'il avait abandonnée, elle et le bébé qu'ils avaient eu. Il avait vécu ensuite toutes sortes de galères, drogue, prison. Des années plus tard, il avait découvert une relation vivante avec le Christ dans un parcours Alpha. Il a alors essayé de retrouver son fils après seize ans d'absence et s'est réconcilié avec lui. Quand j'ai fait la connaissance de Paul, voilà dix ans, il était gérant d'un club de gymnastique. Puis il a développé Alpha en prison, qui est aujourd'hui donné avec un fruit étonnant dans la plupart des aumôneries de prison en Grande-Bretagne et aussi dans l'armée, avec une croissance spectaculaire. Il a entrepris ensuite des études de théologie, et a été ordonné pasteur dans l'Église anglicane. Tous les animateurs de groupe Alpha ne sont pas appelés à un tel parcours. Mais la manière de faire de Paul m'a permis de découvrir tout de suite que ce que l'on demande avant tout à un animateur Alpha, c'est d'écouter, de prier et d'intervenir à bon escient.

Le lecteur risque d'être surpris, une fois de plus, par la simplicité de la méthode, mais les groupes de discussions fonctionnent très bien avec deux types de questions :

« Qu'est-ce que vous en pensez ? », et : « Qu'est-ce que vous ressentez ? » La première convient à ceux qui sont davantage portés sur l'intelligence, qui font tout passer par le tamis de l'intellect, la seconde aux gens plus affectifs, plus portés à l'émotion. Il n'y a guère besoin de beaucoup plus. Cela peut être frustrant pour un chrétien qui a approfondi sa foi. Je me souviens d'un groupe de discussion pendant la soirée « Comment Dieu nous guide-t-il ? ». L'exposé expliquait les moyens par lesquels Dieu nous guide. Dans le groupe, une jeune femme que j'appellerai « Martine », très portée sur l'horoscope. Pour elle, il était très important de le consulter tous les jours, de lire des livres spécialisés sur les astres et de rencontrer régulièrement une voyante qui lui tirait les tarots. Voilà donc Martine, qui raconte cela en petit groupe. « Moi, la manière dont je me guide, c'est par la lecture quotidienne de l'horoscope. Et c'est super, parce que j'ai découvert que j'ai le bonheur dans mon signe ! » En tant que chrétien, notre premier instinct serait de redresser cette idée tordue et, à défaut de convaincre la personne, d'avertir les autres participants en montrant que la pratique de l'horoscope est en contradiction avec la foi chrétienne.

La démarche Alpha est tout autre. Une discussion très simple s'est engagée. Le voisin de Martine, qui était policier, a répondu que pour lui aussi, le bonheur était essentiel dans sa vie et il a expliqué comment il le trouvait dans sa famille, dans l'exercice de son métier. Sa voisine, qui était vendeuse dans un grand magasin de lunettes, a aussi dit que la recherche du bonheur tenait une place capitale dans sa vie, et qu'elle pensait qu'elle « était sous une bonne étoile ». Le participant suivant, un avocat, a aussi expliqué comment il trouvait le bonheur. Au total, quasiment tous les participants ont estimé être plutôt bien là où ils étaient, et que la vie était belle finalement, malgré les difficultés. Quant à l'animateur, il n'a rien dit. Un observateur chrétien de ce dialogue aurait pu se dire que la discussion prenait un tour de café du Commerce. Martine a écouté chacun des témoignages avec une attention extrême et à la fin était stupéfaite et bouleversée : « Mais alors, vous avez tous le bonheur dans votre signe ? L'astrologie, c'est de la foutaise ! » Personne n'avait rien dit contre ses pratiques mais, par les témoignages spontanés, elle se rendait compte de la vacuité de l'astrologie. Si l'animateur du groupe lui avait dit directement : « L'astrologie, c'est de la foutaise ! » au lieu de le lui laisser découvrir, elle aurait probablement quitté le groupe pour ne plus jamais revenir. Là, les animateurs ont pris au sérieux sa démarche spirituelle, sans la juger. Mais par le jeu combiné de l'échange dans une atmosphère amicale et le travail de son intelligence, Martine a compris par elle-même qu'elle était dans une impasse, faisant un pas important dans sa démarche de foi, et durable, car elle était arrivée par elle-même à la conclusion. Il est très important de laisser l'espace à l'expression personnelle pour que toutes les objections puissent être formulées. Cette attitude difficile réclame des animateurs une grande charité. Elle est un combat contre soi-même et l'un des meilleurs garde-fous contre toute tentation de prosélytisme.

Si vraiment l'animateur Alpha est choqué par ce qu'il entend, qu'il s'en tienne à dire : « C'est intéressant, c'est la première fois que j'entends cela. Qu'est-ce qu'en pensent les autres ? » Et il redonne tout de suite la balle à l'ensemble du groupe. La discussion reprendra son cours, et il est bien rare qu'il ne se trouve pas un participant pour la faire évoluer. Ce n'est pas là une habile technique d'animation de groupe. La méthode Alpha n'est pas inspirée par ces méthodes. Elle vient, une fois de plus, d'une attitude de foi : la conviction que le participant qui vient à l'un de ces repas est déjà guidé par l'Esprit-Saint. Derrière la démarche de Christine ou de Martine qui lisait tous les jours son horoscope, il y a, à la base, une impulsion de l'Esprit-Saint. Le regard de la foi voit dans tout cela la marque de l'Esprit, qui guide chacun des participants et fait un puissant travail intérieur.

Un cœur transformé

Invitation, accueil, amitié, travail de l'intelligence, vient un moment où progressivement le cœur s'ouvre. Il n'y a là rien d'automatique, le parcours de chacun est unique. Mais force est de constater que de nombreux participants font dans Alpha une rencontre personnelle du Christ qui les transforme et engendre en eux le désir de grandir dans la foi et dans la communauté chrétiennes. C'est un fait, ces conversions se produisent, d'une multitude de manières. Et là encore, ce peut être l'occasion de difficultés pour les membres de l'équipe. L'annonce de l'Évangile nous passe tous au creuset. Devant le travail de l'Esprit de Dieu dans les cœurs, devant cette « bienheureuse conversion » à laquelle il lui est donné d'assister, le chrétien mûr dans sa foi peut soudain avoir le tournis et se dire : « Et moi, au fait ? Quel est l'état véritable de ma relation avec le Christ ? Ai-je vraiment une foi personnelle, vivante, vivifiante ? Ou suis-je devenu un pratiquant non croyant ? » Récemment, un évêque catholique de région parisienne, Mgr Daucourt, posait la question avec franchise : « Les catholiques de France sont-ils chrétiens ? » Dans son intéressante réponse, on lit en particulier :

> Je ne demande pas si tous vont à la messe chaque dimanche, connaissent par cœur l'Évangile, le caté-chisme de l'Église catholique et acceptent sans sourciller

toutes les vérités de la foi catholique et toutes les directives du pape et des évêques. Non ! Je demande simplement : combien sont-ils, ceux et celles qui, non seulement reconnaissent Jésus comme le Fils de Dieu, mais qui ont engagé tout leur être sur la personne de Jésus ? Et qui entretiennent, dans la prière, une relation avec lui, parce qu'ils croient vraiment qu'il est ressuscité, après avoir donné sa vie sur la croix par amour pour l'humanité ? Et qui attendent sa venue dans la gloire ? Et qui ont compris que par la foi et le baptême, ils sont devenus des membres vivants de son Corps, qui est l'Église, ayant pour mission d'annoncer l'Évangile à tous ? Et qui, à cause du Christ, prennent des risques pour la justice et la paix dans la société, leur vie professionnelle et leur famille. [...] Tous les baptisés ne sont pas chrétiens. Un bon nombre de baptisés sont comme des poissons morts emportés par le courant. Ils sont soumis au magistère des médias et acceptent toujours ce que pensent les majorités. Certains s'enferment dans des traditions et des communautés comme dans des ghettos. Beaucoup se comportent dans leur paroisse et dans l'ensemble de l'Église comme les clients d'un self-service. Le christianisme est alors réduit à une connaissance intellectuelle ou à une participation à des rites ou encore à une morale. La religion y trouve peut-être son compte, mais pas la foi chrétienne[1].

Tous sont appelés à se convertir et à se re-convertir en permanence, les participants comme les membres de l'équipe. C'est souvent pour ces derniers que le pas est le plus difficile. Or, c'est essentiel pour éviter le syndrome du « baptisé semblable à un poisson mort emporté par le courant ». C'est pour cela que l'ouverture du cœur est l'un

---

1. *Journal diocésain*, Église des Hauts-de-Seine, octobre 2006.

des points essentiels dans la formation de deux jours proposée aux membres des équipes. Le père Raniero Cantalamessa s'exprimait ainsi devant un groupe d'animateurs de parcours Alpha :

> Il y a deux résurrections : une résurrection du corps qui aura lieu au dernier jour, et une résurrection du cœur qui doit se produire chaque jour. Qu'est-ce que la résurrection du cœur ? Notre cœur peut être mort, comme enfermé dans un tombeau, quand il n'a plus d'espérance, qu'il est saisi par le découragement, la mélancolie, l'absence de joie. C'est une forme de mort. La résurrection de Jésus opère encore aujourd'hui, à tout moment. Je lis régulièrement le journal *Alpha News*, j'y ai trouvé de nombreuses histoires qui sont exactement ce que je veux dire par résurrection du cœur.

Tous, participants et animateurs, nous sommes invités à cette résurrection du cœur « qui doit se produire chaque jour ». En ce sens, Alpha, on l'aura compris, est un lieu de grâce pour les membres de l'équipe avant de l'être pour les participants. La manifestation de cette renaissance, c'est une nouvelle capacité d'aimer qui nous est donnée. C'est une joie inexprimable qui envahit notre être, fait s'évaporer nos peurs, ravive l'espérance. Une paix profonde au milieu des soucis et des angoisses. Cette capacité d'aimer, cette paix et cette joie viennent de l'Esprit-Saint, elles ne dépendent plus des circonstances, car elles sont profondément enracinées en nous.

J'ai vécu quelques années en Colombie. C'est un pays splendide, traversé en plusieurs endroits par la cordillère des Andes. On s'y déplace dans des petits bus qui roulent à tombeau ouvert au bord de précipices de plusieurs centaines de mètres, la radio allumée à fond en permanence sur des rythmes de salsa et de cumbia. De temps à autre, on aperçoit au fond du ravin la carcasse d'un bus accidenté. Les conducteurs couvrent les murs de leur poste de pilotage d'images pieuses. Ils placent leur vie et celle de leurs passagers sous la protection du Ciel. Je me souviendrai toujours de l'un d'eux qui s'était confectionné un panneau lumineux clignotant : « Dieu est mon copilote. » Vu l'état des routes, la vétusté du bus et la fatigue du chauffeur, c'est la seule chose rassurante. Idem pour les membres de l'équipe Alpha, appelés, malgré les difficultés de tous ordres, à garder ce clignotement en leur cœur, « Dieu est mon copilote ». Dieu est là, qui guide toute cette démarche de disciple faite d'invitation, d'accueil, de témoignage, d'écoute, de prière. C'est lui qui, si nous lui sommes dociles, saura à chaque moment nous faire prendre le bon virage.

Entretiens spirituels autour du *Da Vinci Code*

8

Apologie de la compétence

NOUS SOMMES TOUS désireux de tirer le meilleur parti de nos talents. C'est cette dimension qui m'a fait choisir de travailler dans le métier du recrutement et du développement des talents. Le cœur de ma profession est d'aider des cadres dirigeants à réfléchir à leur orientation professionnelle. Connaissant mes convictions, il m'arrive parfois que l'un ou l'autre m'interroge pour savoir si la foi chrétienne permet de jeter une lumière sur le choix d'une orientation professionnelle. Voici quelques éléments de réponse.

Contrairement à un préjugé répandu, le travail n'est pas présenté dans la Bible comme une conséquence du péché mais fait partie dès l'origine du dessein bienveillant de Dieu. Depuis la création, il propose le travail à l'homme, qui l'équilibre et le nourrit, comme le montrent les premiers chapitres de la Genèse. Par ailleurs, c'est Dieu, qui lui aussi donne à chaque être humain ses talents. Il le fait avec le même sens de la diversité et de la créativité extraordinaires qui caractérise toute son œuvre. Il nous fait « à sa ressemblance », notamment en nous donnant nos talents professionnels. C'est un Dieu travailleur, dont

Jésus dira : « Mon Père travaille tout le temps. » C'est aussi un Dieu qui sait « prendre du repos » pour contempler la beauté de sa création.

Dieu nous donne le travail, Dieu nous donne nos talents. Une vision chrétienne d'une orientation professionnelle me semble passer par une bonne compréhension de nos talents, éclairée par la recherche de la volonté de Dieu sur nous. La bonne orientation professionnelle, vue sur le plan chrétien, part d'une adéquation entre notre travail – que Dieu nous donne – et nos talents – donnés aussi par Dieu.

Qu'en est-il de l'utilisation de nos talents dans la vie de l'Église ? De nombreux chrétiens exercent des responsabilités dans la cité, qui requièrent des compétences précises, peu répandues, difficiles à développer, et pourtant rarement mises au service de la communauté chrétienne. Pensent-ils à les mettre au service de leur Église ? Les pasteurs sont-ils conscients du réservoir de talents dont ils pourraient disposer ? Songent-ils eux-mêmes à se développer ? Trop souvent, les chrétiens qui sont en responsabilité dans la cité ont tendance à laisser leurs compétences à la porte de l'église, en se concentrant sur l'aspect purement cultuel. Un chef d'entreprise me confiait : « Pour moi, quand je vais à l'église, je laisse mon cerveau à l'entrée. D'ailleurs personne ne m'a jamais demandé d'utiliser au service de la communauté les compétences que l'on s'arrache dans la vie professionnelle. »

Les mentalités et les pratiques évoluent heureusement. Aussi aimerais-je réfléchir à l'utilisation des compétences de *leadership* dans la communauté chrétienne. Qu'il n'y ait pas de malentendu : l'idée n'est pas de mélanger les plans, de transformer l'Église en organisation, dirigée par un curé ou un pasteur manager, assisté d'adjoints laïcs.

Le propos n'est pas non plus de plaquer artificiellement un modèle de compétences sur la vie d'une communauté chrétienne. Je suis bien conscient de la différence des plans et des finalités de la vie d'entreprise et de la vie de l'Église. À les confondre, on risque de tomber à côté de la plaque, tel ce chasseur de têtes de l'Antiquité dont on a récemment retrouvé un rapport confidentiel sur papyrus. Les experts sont encore divisés sur son authenticité...

Destinataire :
Jésus, fils de Joseph
Menuiserie, Nazareth

Cher monsieur,
Vous trouverez ci-joint l'évaluation des douze hommes que vous avez choisis pour des postes de responsabilité dans votre nouvelle organisation. Nous sommes arrivés à la conclusion que la plupart de vos candidats manquent d'expérience, n'ont guère de formation et peu d'aptitudes pour le genre d'entreprise dans laquelle vous comptez vous lancer.

Simon-Pierre souffre d'instabilité émotionnelle. Les frères Jacques et Jean, fils de Zébédée, placent leur intérêt personnel au-dessus du dévouement envers l'équipe. Le scepticisme de Thomas freinera l'enthousiasme du groupe. Nous sommes au regret de vous informer que Matthieu figure sur la liste noire de la « Commission nationale pour l'honnêteté dans les affaires » et Simon le Zélote sur la liste des terroristes recherchés par les autorités romaines. Plusieurs ont des tendances maniaco-dépressives.

Un seul des candidats nous semble apte à de grandes responsabilités. Il est compétent, imaginatif, a le contact facile et un sens développé des affaires. Il a un bon réseau relationnel avec les personnalités haut placées. Il est très motivé, ambitieux et n'a pas peur des responsabilités. Nous vous recommandons de prendre comme bras droit Judas Iscariote. Pour le reste, nous vous suggérons de continuer vos recherches en vue de découvrir des candidats qui aient de l'expérience dans la gestion des affaires et ont démontré leurs compétences.

En vous souhaitant beaucoup de succès dans votre nouvelle aventure…

Caius Cherchepus, consultant

Voilà une illustration claire des limites et risques inhérents à l'exercice d'appliquer à la vie de l'Église des modèles tirés de la vie de l'entreprise. Néanmoins, il peut être éclairant de réfléchir au sujet du développement des compétences dans notre vie ecclésiale. Mon intention n'est pas de me poser en donneur de leçons, mais simplement de tenter d'éclairer par ma pratique professionnelle le fonctionnement de la communauté chrétienne et le développement de ses talents. Je m'inspirerai d'une grille d'analyse des organisations utilisée dans le cadre professionnel, le « modèle de compétences ». Le modèle de compétences est un ensemble de qualités, attitudes et connaissances qui se manifestent dans des comportements observables et qui ont une valeur prédictive pour certaines performances. L'idée de base est qu'un dirigeant s'appuie, pour exercer ses responsabilités, sur un nombre réduit de qualités. Je propose ici d'examiner sept compétences principales qui constituent la « boîte à outils » d'un responsable : coopération, gestion d'équipe, développement des personnes, sens du résultat, vision stratégique, connaissance du marché et gestion du changement.

Ces compétences sont-elles applicables à l'exercice de responsabilités au sein de l'Église ? Les pasteurs de chaque communauté devraient-ils s'y montrer davantage attentifs, pour eux-mêmes et pour les personnes en responsabilité autour d'eux ? Un ami prêtre m'a objecté : « Est-ce que le curé d'Ars aurait analysé les choses comme cela ? » Je ne sais pas, j'espère un jour le lui demander au ciel. Mais pour le moment, je constate que les conditions ont changé : en France, le nombre de prêtres aura été divisé par vingt en un siècle d'ici à dix ans. Dans certaines paroisses de campagne, le curé doit desservir plus de quinze clochers, nombre qui passe subitement à trente quand son confrère voisin doit prendre sa retraite, ou meurt à la tâche, car il a près de quatre-vingts ans. Cette situation nouvelle nous invite à réfléchir paisiblement mais urgemment à la manière dont, en Église, prêtres, pasteurs ou laïcs, nous exerçons nos compétences. Creusons.

Nous pouvons exercer nos compétences à des degrés de sophistication divers. Pour la simplicité de l'exposé, nous les numéroterons de 1 à 3, selon un degré croissant de sophistication. Au niveau 1, une compétence est utilisée de manière *réactive* – je réponds à une instruction. Au niveau 2, je dépasse ce stade en utilisant la compétence de manière *active* : j'agis librement dans un cadre qui m'a été donné. Au niveau 3, j'agis de manière *proactive*, en anticipant les besoins.

La coopération

Prenons l'exemple de la coopération, c'est-à-dire la capacité à travailler avec d'autres d'une manière positive et mutuellement utile. La coopération concerne le lien avec des personnes vis-à-vis desquelles il n'y a pas d'autorité formelle – *alter ego*, partenaires. L'essence de la coopération est de comprendre que la valeur du tout est supérieure à la somme des parties.

Au niveau 1 de cette compétence de coopération, la personne préfère travailler de manière indépendante, mais répond volontiers à l'invitation de travailler à un projet avec d'autres, s'intéresse à leur point de vue, recherche leur contribution et fonctionne bien en groupe. Au niveau 2, la personne prend l'initiative de la coopération en recherchant la contribution d'autres sur les sujets qui sont de sa responsabilité et sait utiliser la dynamique du groupe pour faire avancer les choses. Au niveau 3, la personne sait stimuler les membres d'une équipe pour qu'ils coopèrent et parviennent ensemble à un résultat satisfaisant. Cela requiert qu'elle sache agir comme un facilitateur des discussions, arrondir les angles, mettre de côté ses objectifs personnels en vue d'atteindre le bien commun.

Quel est le niveau souhaitable en matière de coopération lorsqu'on est en responsabilité dans l'Église ? Tout dépend de la position occupée. C'est ici qu'intervient la notion de *niveau cible*, le niveau minimum requis pour que quelqu'un puisse exercer sa responsabilité de manière satisfaisante.

Toute personne qui a une responsabilité dans la communauté chrétienne devrait être capable d'un minimum de coopération, le niveau 1. La nature de l'Église est de faire vivre les hommes en relation, dans une dépendance mutuelle et vitale avec Dieu et entre eux : « Dieu a disposé le corps de manière à ce qu'il n'y ait pas de division dans le corps, mais que les membres aient également soin les uns des autres. [...] Vous êtes le corps du Christ et, chacun pour votre part, vous êtes les membres de ce corps » (1 Corinthiens 12, 24-27). Toute position de responsabilité au sein de l'Église des personnes requiert un niveau certain de coopération. Prenons la personne qui a la responsabilité de la permanence d'accueil. Pour être pleinement capable de recevoir et d'orienter ceux qui se présentent, il est important que la personne ait une bonne connaissance de ce qui se fait dans la paroisse. L'idéal est que la personne de l'accueil ait une connaissance de première main, fondée sur une relation de coopération avec les principaux responsables. Il en va de même pour une personne en charge d'un petit groupe de catéchèse de jeunes, ou l'animateur d'un groupe Alpha : certes l'essentiel de sa charge se déroule au sein de son petit groupe, mais il est important qu'elle travaille, prie, partage son expérience, réfléchisse au futur, avec les autres responsables de groupe.

Dès lors que les responsabilités sont exercées au sein d'une équipe dont les membres doivent interagir régulièrement, le niveau 2 de coopération est requis car de nombreuses décisions se prennent à plusieurs, les avis des uns et des autres sont souvent tranchés. C'est le cas des membres d'une équipe d'animation liturgique ou du conseil économique : il est indispensable pour eux de savoir contribuer utilement à une discussion ou à un projet, sans se braquer inutilement sur des positions ou des considérations de personne, en vue de faire émerger une position commune. Quelqu'un qui a une responsabilité dans une telle instance et n'est pas habitué à fonctionner de cette manière peut être une sérieuse gêne pour le travail du groupe.

Le niveau 3 est nécessaire pour les responsables d'équipes constituées de personnalités diverses. Il en va certainement ainsi du pasteur de la communauté, ou des responsables d'équipes étoffées tels que le responsable de la préparation au mariage ou d'un parcours Alpha. Ce niveau est indispensable pour être capable de rechercher des talents nouveaux, les faire travailler ensemble, s'appuyer sur les bonnes personnes en comprenant les différents courants qui sont à l'œuvre. Il est indispensable au niveau 3 d'avoir le goût de s'impliquer dans de nouvelles relations. Si l'on désigne comme responsable de l'une de ces équipes une personne qui n'est qu'au niveau 2, l'équipe aura du mal à se structurer et à se développer.

En matière de coopération, un niveau 3+ existe, pour les organisations plus complexes. En effet, le pasteur d'une communauté « à taille humaine », où chacun se connaît, peut travailler efficacement en se limitant au niveau 3 : il connaît personnellement les personnes en responsabilité, et peut avoir une relation de travail proche avec chacune. En revanche, le curé d'une grande paroisse, ou un évêque, doit faire face à des problématiques plus vastes, étant donné la variété des groupes en présence : anciens clochers ayant gardé leur individualité, équipes en charge d'activités pastorales, groupes d'action caritative, mouvements, initiatives ponctuelles ayant un retentissement sur toute la communauté telles qu'un pèlerinage ou une campagne d'évangélisation… Il ne leur est pas possible de peser personnellement sur la vie de chacun des groupes et il leur faut donc développer une culture de partenariat de manière à ce que tous avancent dans la même direction. Cette capacité à jeter des passerelles, à faire travailler ensemble des groupes aux agendas et aux sensibilités variés est essentiel pour l'unité et la vitalité de la communauté.

La coopération est une composante essentielle dans une paroisse qui désire retrouver un dynamisme et une croissance. Il est spécialement important de recruter des personnes désireuses de coopérer, s'engageant volontiers dans des activités avec d'autres, capables de s'intégrer dans une discussion de groupe, et de les faire progresser. Il est important aussi d'identifier des personnes capables d'être des agents actifs de coopération, sachant aller au-devant des autres et les solliciter au service de la mission commune. En ce qui concerne le pasteur lui-même, il est important qu'il développe sa capacité à faire coopérer entre elles des personnalités diverses même s'il n'est pas directement impliqué dans la réalisation.

Tout cela étant dit, y a-t-il une manière spécifiquement chrétienne de coopérer ? Tiendrait-elle à une gentillesse particulière qui marquerait les relations ? À une plus grande bienveillance, au sourire, à l'indulgence plus grande ? Certainement un peu de tout cela, mais il faut aller plus loin, en tournant nos yeux vers le Christ. D'une certaine manière, les chrétiens ne devraient avoir entre eux aucune relation directe. Tous devraient avoir un lien intime avec Jésus-Christ, par lequel le lien passera. C'est là l'essence de la coopération chrétienne, son signe distinctif : le Christ est placé au centre, et à partir de là, les relations entre les uns et les autres s'ordonnent harmonieusement.

Le sens du résultat

Peut-on parler de « sens du résultat » dans la vie de l'Église ? C'est peut-être là que le parallèle avec la vie d'entreprise est d'emblée ressenti comme le plus périlleux. La grâce de Dieu est donnée gratuitement, sans que l'homme ait à la mériter. Néanmoins, si la grâce est gratuite pour l'homme, cela ne signifie pas pour autant qu'elle n'ait pas eu un coût pour Dieu. Un coût exorbitant, la vie de son Fils. Et lorsque l'on regarde l'Écriture, on voit que Dieu cherche le fruit. Souvenons-nous de Jésus maudissant le figuier stérile, de la parabole des talents ou de la comparaison de la vigne : « Moi, je suis la vraie vigne, et mon Père est le vigneron. Tout sarment en moi qui ne porte pas de fruit, mon Père l'enlève ; et tout sarment qui donne du fruit, il le nettoie, pour qu'il en donne davantage. [...] Ce qui fait la gloire de mon Père, c'est que vous donniez beaucoup de fruit : ainsi, vous serez pour moi des disciples » (Jean 15, 1-8). Ailleurs Jésus parle du fruit du travail du semeur qui donne « trente pour un, soixante pour un, cent pour un » (Matthieu 12). Un rendement que même les cultures OGM peineraient à atteindre ! On voit bien à la lecture de ces textes et de bien d'autres dans la même veine qu'il ne suffit pas de dire : « Il y a la grâce de Dieu, j'attends que ça pousse. » Dieu cherche le fruit.

Les hommes aussi cherchent le fruit. D'expérience, le seul moyen de recruter et de faire grandir une équipe de bénévoles sur la durée est qu'ils voient un fruit à leur action. Pour cela, il faut leur confier un champ de responsabilité suffisamment fertile. Il faut aussi leur enseigner comment faire. Sinon, ils risquent de se lasser, tels ces deux hommes inexpérimentés, partis à la chasse au canard, et qui depuis le petit matin sont blottis dans un bouquet de roseaux, grelottant dans l'humidité et le froid de l'automne. L'un demande à l'autre : « On n'a toujours rien attrapé. Tu crois qu'on jette le chien assez haut ? »...

Alors, avec prudence, mais détermination, réfléchissons au sens du résultat. Le niveau 1, c'est de vouloir faire bien son travail, en introduisant éventuellement quelques améliorations. Le niveau 2 consiste à atteindre ou dépasser des objectifs précisément définis. Le niveau 3 introduit de nouvelles manières de travailler pour atteindre des buts plus ambitieux, jusqu'à transformer l'organisation.

Dans une communauté chrétienne, il me semble que toute personne exerçant une responsabilité doive accomplir ses tâches et essayer si possible de faire mieux, ce qui correspond au niveau 1. Ce n'est pas là un culte de la performance pour la performance, mais le chrétien ne prend pas une responsabilité dans l'Église simplement pour accomplir une tâche, mais pour témoigner de l'avènement du Royaume de Dieu. Cela se révèle notamment dans le zèle avec lequel il accomplit ses responsabilités. Comme chrétiens, sommes-nous aussi diligents dans notre vie en l'Église que dans notre vie professionnelle ou familiale ? On se souvient de la réponse du pape Jean XXIII à un journaliste qui lui demandait : « Combien de personnes travaillent au Vatican ? — Oh, pas plus de la moitié ! » Il est vrai que c'était avant le Concile… Dans la même veine, Coluche, incarnant un rond-de-cuir spécialement fatigué se plaignait : « Au bureau, ils nous donnaient du travail pour quatre… Heureusement, on était huit. » Dans notre recherche de fruit dans la vie de l'Église, ne devons-nous pas plutôt chercher à dire, comme le psalmiste ardent : « Le zèle de ta maison m'a dévoré » (Psaume 69, 10) ?

Le niveau 2 est caractérisé par la capacité à se fixer des objectifs, à soi et à d'autres, ainsi que la capacité à les atteindre en surmontant les incertitudes et les difficultés. C'est probablement le niveau auquel doivent se situer les personnes ayant la responsabilité d'une petite équipe : responsable d'aumônerie, de l'école du dimanche ou de la préparation au mariage.

C'est au niveau de la définition des objectifs que le bât peut blesser. C'est une notion souvent étrangère à la pensée ordinaire des responsables d'une communauté chrétienne. Et pourtant, là aussi, il y a probablement des idées à grappiller dans la vie des affaires. Un modèle couramment utilisé pour la fixation des objectifs est le modèle SMART qui signifie en anglais intelligent, astucieux. Un objectif SMART est *Spécifique*, il décrit précisément ce que vous devez changer et ce que vous y gagnerez ; *Mesurable* : vous serez capable de juger objectivement de l'atteinte de l'objectif grâce à des indicateurs de performance, de qualité ou de quantité ; *Adéquat* : l'objectif doit tenir compte des ressources nécessaires à sa réalisation en termes de temps, d'argent ou de ressources humaines ; *Réaliste* : l'objectif doit tenir compte de votre engagement personnel à réussir et à faire face au changement ; *Temporel* : on fixera toujours une échéance dépendant de la nature de l'objectif.

En fait, tel Monsieur Jourdain faisant de la prose sans le savoir, la plupart des chrétiens en responsabilité, pasteurs, curés, évêques et responsables de mouvements ou d'activités paroissiales, utilisent des objectifs SMART. Il n'y a guère d'autres moyens pour organiser avec succès un rassemblement de plusieurs milliers de personnes, ou un synode diocésain, ou la construction d'une nouvelle église, ou le lancement d'une campagne de communication pour la rentrée du catéchisme. Sans de tels objectifs, la réalité les rattrape rapidement. Y a-t-il des obstacles sérieux à ce que cette culture de l'objectif se répande dans l'Église ? Serait-il par exemple concevable qu'un curé dise au responsable de la catéchèse : « Nous avons aujourd'hui 5 % des enfants du quartier de cinq à dix ans qui sont catéchisés dans la paroisse. Pouvons-nous réfléchir à un plan qui, en trois ans, permettra de remonter ce pourcentage à 10 % » ? Ou que la responsable de l'accueil se voit proposer : « Pour le moment neuf personnes sur dix qui se présentent à l'accueil en repartent avec le renseignement qu'elles cherchaient, mais qui leur a été fourni de manière quasiment administrative. Comment faire en sorte qu'au moins une personne sur deux contactant la permanence d'accueil entre effectivement en contact avec un responsable de la paroisse adapté à sa situation ? » Je crois qu'il y a en ce domaine des marges d'amélioration par l'extension de la fixation d'objectifs. L'expérience montre que c'est source à la fois d'efficacité accrue et de recrutement de bénévoles compétents.

On peut à propos de cette compétence se poser la question : y a-t-il un sens chrétien de la recherche du résultat, distinct de celui qu'en donne le monde ? Par exemple, « Aide-toi, le ciel t'aidera » qui est souvent considéré comme une maxime chrétienne ? Contrairement à l'opinion largement répandue, ce vieil adage ne figure pas dans la Bible, c'est la morale d'une fable de La Fontaine, « Le charretier embourbé ». De surcroît, pour un chrétien, ce proverbe représente une position qui a été déclarée hérétique dès le VIᵉ siècle sous le nom de *semi-pélagianisme,* car elle laisse sous-entendre que la grâce de Dieu se mérite par nos actions. D'ailleurs, dans la fable, c'est le dieu Hercule qui est invoqué ! En matière de culture du résultat, Jésus met, quant à lui, bien les choses en perspective notamment par la parabole des ouvriers de la onzième heure, rétribués pour une heure de travail autant que ceux qui en ont travaillé douze (Matthieu 20) ! Aussi, une belle manière chrétienne de définir l'équilibre en matière de recherche de résultat peut-elle être trouvée chez Ignace de Loyola : « Agir comme si tout dépendait de nous, prier comme si tout dépendait de Dieu. » Le fondateur des Jésuites fait ainsi comprendre l'importance de l'action et du sens du résultat, joints à l'invitation à s'abandonner à Dieu, qui ne nous laisse jamais tomber.

Le développement des personnes

Le développement des personnes est la compétence qui permet de favoriser la croissance des talents individuels.

Au niveau 1, on fait l'hypothèse que les gens se développent seuls, qu'ils apprennent en observant des personnes compétentes. Il en résulte un style de management caractérisé soit par la délégation complète, soit par le micromanagement, en fonction de la confiance qui est accordée aux uns et aux autres. Le niveau 2 suppose de savoir encourager activement et de donner un *feedback* spécifique sur les performances de la personne. Au niveau 3, on raisonne en termes de gestion des talents et de leur développement dans toute l'organisation.

Il est délicat de définir les niveaux cibles pour cette compétence tant, dans notre culture latine, ce souci du développement des compétences est peu répandu. Dans la pratique professionnelle, il y a de notables différences de niveau entre les entreprises anglo-saxonnes et les entreprises originaires du monde latin. D'une manière générale, au risque de forcer le trait, on prête en France dans l'entreprise une moindre attention au développement des personnes qu'aux Pays-Bas ou aux États-Unis. Cela se constate aussi dans notre vie d'Église, où le développement des qualités de dirigeant n'est pas généralement considéré comme une priorité. C'est pour cette raison que dans nos communautés, le niveau 1 – celui où on laisse les gens se débrouiller seuls – est le plus répandu. À mon sens, ce niveau est insuffisant pour quiconque est en position de responsabilité dans la communauté chrétienne et il y a là une lacune qu'il est urgent de combler. C'est la condition nécessaire pour libérer l'extraordinaire potentiel de talents contenu dans nos communautés. À cet égard, je suis convaincu que l'un des ressorts essentiels – à vue humaine – de la croissance exponentielle des Églises évangéliques est l'attention donnée à la qualité de la formation de leurs leaders, qu'ils soient ou non ordonnés.

Le niveau 2 semble difficile à atteindre tant le sens de l'encouragement et du *feedback* est peu répandu encore. Nous savons pourtant, en en constatant les effets positifs sur nous-mêmes, à quel point une culture de l'encouragement est bénéfique. Nous savons que les chances qu'une équipe sportive a de gagner sont significativement accrues lorsqu'elle joue sur son propre terrain, simplement parce que le nombre de supporters qui l'encouragent est supérieur. Apprenons en Église à être supporters les uns des autres. Apprenons aussi à prendre acte des progrès réalisés. C'est spécialement important dans ce contexte de notre histoire où l'Église doit gérer la pénurie de talents.

Cette pénurie de talents conduit à des manières de faire assez étonnantes, qui rendent plus indispensable encore que nous sachions nous faire grandir les uns les autres. Je suis toujours surpris de voir comment certaines communautés chrétiennes recrutent leurs catéchistes. La rentrée de septembre est là, on manque de bras, alors on fait une annonce à l'église pour faire appel aux bonnes volontés. Si la demande est faite avec insistance, assortie de la menace subtile de ne plus pouvoir assurer la formation des chers petits, une ou deux mains se lèvent avec hésitation et une dame de bonne volonté balbutie en rougissant : « Je n'y connais pas grand-chose, mais je veux bien essayer. » Tout cela est sympathique, mais est-ce le moyen le plus approprié d'organiser la transmission de la foi aux enfants ? Comment réagirions-nous si à l'école, en septembre, le directeur, faisant une annonce à la cantonade lors d'une réunion de parents, recrutait ainsi le professeur de mathématiques ou le professeur de français ? Est-ce que nous nous réjouirions de voir l'éducation de notre enfant dans ces matières confiée à la dame dévouée qui a répondu : « Je n'y connais pas grand-chose, mais je veux bien essayer » ? Cela ferait probablement un scandale dans l'école, à juste titre. Que considérons-nous comme plus important, la proposition de la foi en Jésus-Christ vivant ou bien la qualité de l'enseignement des mathématiques ?

Compte tenu de cette manière de faire qui ne semble pas près de changer, il est indispensable que nous mettions en place une culture du développement des personnes qui permette aux bénévoles de progresser, même s'ils n'étaient pas préparés au moment d'accepter leur charge. À défaut, chacun restera au niveau relativement peu sophistiqué où il se trouvait quand il a été appelé, telle cette jeune maman qui confiait, un peu désabusée : « Coloriage et découpage sont les deux mamelles de la catéchèse... » Bien sûr, des cycles de formation sont disponibles un peu partout. Mais les commentaires de ceux que nous côtoyons chaque semaine sur le terrain, parfois pendant des années, sont irremplaçables. Apprenons à nous faire progresser les uns les autres en nous encourageant mutuellement et en nous donnant des *feedback* honnêtes et ouverts.

Les personnes en responsabilité d'une équipe sophistiquée et diverse devraient aspirer au niveau 3 de cette compétence, celle où l'on réfléchit à la manière de développer l'équipe. C'est un art de composer une palette de talents différents et complémentaires, auquel il est important que se forment les leaders chrétiens en charge de grandes équipes. Et, de fait, une des principales difficultés de la vie des communautés chrétiennes en France, et plus généralement en Europe, est que bien peu de chrétiens s'engagent. Ce n'est pas du tout la même situation dans les Églises d'Afrique, d'Amérique latine ou d'Asie. Je suis tombé sur la lettre suivante :

> Monsieur le pasteur,
> Il y a 566 personnes dans notre paroisse. 100 d'entre elles sont infirmes ou âgées, ça en laisse 466 pour faire tout le travail. Mais 80 sont des jeunes à l'école ou au collège, ça en laisse 386 pour faire tout le travail. 150 d'entre elles travaillent tout le temps et sont fatiguées, ça en laisse 236 pour faire tout le travail. Mais 150 sont occupées avec des enfants, ça en laisse 86 pour faire tout le travail. 15 habitent trop loin pour venir ici régulièrement, ça en laisse 71 pour faire tout le travail. 69 estiment qu'elles ont fait plus que leur part pour la paroisse en versant au denier du culte l'an dernier : il n'y a plus que vous et moi. Et moi, je suis épuisée par tant d'années à votre service, sans être jamais relayée. Alors, il ne reste plus que vous. Je vous souhaite bon courage…

Dans ce domaine, y a-t-il une vision spécifiquement chrétienne ? Là aussi nous sommes invités à élargir notre horizon. Bill Hybels, fondateur et pasteur principal de la communauté de Willow Creek, près de Chicago, l'une des principales « *megachurch* » des États-Unis, raconte les difficultés sans nombre qu'ils ont eu à trouver des bénévoles acceptant de tondre le gazon et d'entretenir le jardin autour de l'église. Celle-ci est située sur un campus de plusieurs hectares, qui accueille près de trente mille personnes le dimanche et des milliers tout au long de la semaine. Pendant des années il était sans cesse nécessaire de renouveler l'appel car les bénévoles tondeurs de pelouse se lassaient et laissaient tomber au bout de quelques mois. Quelqu'un a alors eu l'idée de créer un groupe d'hommes qui se réuniraient chaque samedi matin pour prendre le petit déjeuner, prier ensemble et étudier un texte de la parole de Dieu. Chacun irait ensuite faire son travail de tonte ou de jardinage pendant deux heures. Puis ils se retrouveraient à nouveau pour échanger des impressions et des conseils sur leur tâche commune et prieraient à nouveau ensemble avant de se séparer. Depuis que cette formule a été mise au point il n'y a plus eu de problème de recrutement ! On voit bien ici les ingrédients du succès : un service vécu en Église, de manière conviviale, priante et efficace. Chacun y fait des progrès dans ses compétences techniques, sa culture biblique (il n'existe pas à ma connaissance de texte biblique qui porte sur la tonte du gazon, mais chacune de ces réunions est une belle occasion de réfléchir à ce qu'est l'Église) et sa vie spirituelle. Sans parler des progrès dans l'ordre de l'amitié et de la motivation à se rendre utile à la communauté. Voilà un exemple de vivre différemment la vie en Église, qui met de manière pragmatique et simple l'accent sur le développement des personnes. C'est là d'ailleurs que se trouve la spécificité chrétienne concernant cette compétence : le souci de développer la personne dans son ensemble : son efficacité, mais aussi son cœur, sa conscience, sa volonté, son intelligence et son âme spirituelle. Quel meilleur lieu que la communauté chrétienne pour le proposer ?

L'animation d'équipe

Cette compétence consiste à savoir constituer, animer et faire progresser une équipe. Au niveau 1, l'accent est mis sur le fait de donner des instructions et de contrôler l'exécution, sans forcément faire comprendre la finalité ; au niveau 2, l'équipe est incitée à gérer son fonctionnement et sa performance ; au niveau 3, le pouvoir est largement délégué à l'équipe, à un niveau tel qu'elle n'a pas besoin d'être supervisée au quotidien, même dans des situations complexes.

Cette compétence de gestion d'équipe permet de tirer le meilleur parti des multiples talents d'une communauté. Or, de nombreux pasteurs n'y sont pas formés et restent au niveau le plus simple, celui où l'on dit aux gens ce qu'ils doivent faire, en fixant les orientations générales avec un niveau minimum de discussion, tout en s'attendant à être suivi. Un premier progrès est d'assigner les tâches, avec des objectifs de performance clairs, des responsabilités nettement partagées, tout en expliquant le contexte et la finalité dans laquelle on se situe. Tout responsable d'une équipe, même petite, devrait tendre à cela.

Pour parvenir au niveau 2 dans ce domaine de la gestion d'une équipe, plusieurs comportements sont nécessaires : la capacité à inciter l'équipe à concevoir ses projets et résoudre les problèmes dans une atmosphère de coopération ; l'attribution à chaque membre de l'équipe de tâches qui correspondent à son expérience, en l'aidant à comprendre comment ces tâches s'insèrent dans la mission d'ensemble ; la vérification de l'atteinte des objectifs. C'est le niveau que devrait rechercher un responsable chrétien qui gère les équipes en direct.

Le niveau 3 est requis dès lors que le responsable n'a, sur la gestion au quotidien de l'équipe, qu'une influence indirecte. Cela suppose la maîtrise d'une série de comportements complexes : une compréhension des compétences de chacun en prenant si nécessaire des risques calculés ; une connaissance des motivations individuelles et une capacité à les ordonner au service de l'équipe ; une délégation à l'équipe pour identifier et gérer les problèmes et créer ainsi le sens d'une responsabilité collective ; une capacité à créer un vrai esprit d'équipe en suscitant l'attachement des membres à l'équipe comme telle et pas seulement à leur tâche individuelle ; une capacité à convaincre chacun de faire passer ses propres priorités derrière celles du groupe et à résoudre les conflits ; une aptitude à encourager l'équipe à penser au-delà des limites de son mandat initial.

Ce niveau 3 est une denrée rare, tant dans la vie des entreprises que dans la vie de l'Église. Dans le contexte de déclin rapide de « l'encadrement » par le clergé diocésain, il semble plus urgent et important que jamais que chacun de ceux qui ont des prédispositions dans ce domaine, prêtres, pasteurs ou laïcs, se forme et exerce cette compétence, faute de quoi les activités pastorales de la communauté risquent de s'anémier.

La connaissance des besoins du terrain

Cette compétence concerne la manière dont le terrain, les « usagers » – ou les « clients » si l'on prend la métaphore de l'entreprise – sont servis. J'ai bien conscience que l'Église n'est ni un service public, ni une entreprise. Néanmoins, il peut être fécond de raisonner en termes des besoins que la communauté chrétienne contribue à satisfaire, à l'intérieur comme à l'extérieur.

Au niveau 1, la personne satisfait les besoins des usagers, en partant de la façon dont elle conçoit sa responsabilité. Au niveau 2, la personne commence à réfléchir à partir des besoins et de la perspective des usagers, et essaie de comprendre leur point de vue et les options qui s'offrent à eux. Au niveau 3, la personne est capable d'anticiper les besoins des usagers, avant même que ceux-ci ne les aient exprimés.

Beaucoup de chrétiens en responsabilité, trop sans doute, se cantonnent au niveau 1 : j'exécute ma responsabilité selon la conception que j'en ai, indépendamment des attentes de la personne en face de moi. Cette attitude s'avère souvent notoirement insuffisante et donne une impression généralisée de gestion de l'existant, un peu déconnectée des réalités et des attentes de nos contemporains. Le niveau 2 – réfléchir à partir des besoins de l'autre – semble un minimum pour toute personne en situation pastorale : catéchète, animateur d'aumônerie, responsable de l'accueil, couple assurant la préparation au mariage... Ce n'est pas une question d'efficacité, mais simplement de charité. La capacité à comprendre les besoins de l'autre, l'effort de voir les choses comme il les voit sont une attitude fondamentale de l'accueil.

Dès qu'une personne a la responsabilité d'une activité impliquant plusieurs bénévoles, elle devrait tendre au niveau 3, celle où l'on anticipe les besoins des autres, de manière à proposer quelque chose qui leur convient vraiment. Le rôle de l'Église n'est-il pas d'être là d'abord pour ceux qui ne sont pas là ? Si l'on adopte cette perspective, on commence à voir notre vie chrétienne de manière différente : notre priorité devient d'ouvrir toutes grandes les portes de nos communautés, en essayant de découvrir de quelle manière nous pouvons répondre aux besoins et aux attentes du monde.

L'équilibre dans ce domaine est spécialement délicat à trouver. Certaines expériences que nous avons menées dans le cadre d'Alpha nous ont fait mettre le doigt sur cette dimension. Le parcours a été conçu dès l'origine comme devant partir des questions et des attentes des participants. Une attention extrême est portée à la manière dont les problématiques sont présentées, car celles-ci évoluent rapidement. Ainsi pendant les douze à vingt-quatre mois qui ont suivi la publication du *Da Vinci Code*, de très nombreuses questions dans les petits groupes partaient du point de vue des participants qui avaient lu le livre ou vu le film. Nous avons ainsi publié un petit ouvrage qui partait des questions des gens pour aider à progresser vers le Christ. C'est pour saisir ces changements dans les attentes et dans les mentalités qu'un questionnaire détaillé est proposé à la fin de chaque parcours et que le matériel pédagogique est constamment adapté. Nous avons appris, de manière parfois cuisante, combien cette capacité à répondre aux besoins des gens est essentielle. Nous avions publié il y a quelques années à grand-peine un nouveau manuel Alpha Jeunes, qui comprenait de nombreuses photos et illustrations. Après un démarrage en trombe, nous nous sommes rendu compte que son succès allait en déclinant rapidement. Après investigation, des jeunes nous ont montré que les habitudes vestimentaires et de langage avaient rapidement évolué depuis la publication du livre. Sur nos photos, les formes des jeans étaient démodées, ce n'était plus la bonne marque de baskets, ni les bonnes expressions orales. Notre modernité avait vite terni, et nos photos leur faisaient à peu près la même impression de défraîchi que lorsque nous regardons des photos des Beatles en pattes d'ef et cheveux longs... Sympa, mais obsolète.

Face à cela, on peut réagir en haussant les épaules, envoyer aux orties « le sens du client » et se dire qu'ils n'ont qu'à prendre ce qu'il y a. Le risque à raisonner ainsi est que les chrétiens se coupent de la réalité. Un peu comme dans cette scène du temps de l'Empire soviétique. Un Russe a économisé rouble par rouble année après année. Un beau jour, ça y est, il a assez d'argent pour s'acheter une voiture ! Il se rend au magasin d'État et commande une Lada. Là, on lui répond que la Lada lui sera livrée dans dix ans. Alors le malheureux demande : « Ça sera le matin ou l'après-midi ? » Le vendeur répond : « Qu'est-ce que ça peut vous faire, c'est suffisamment loin pour ne pas avoir à s'inquiéter si ça sera le matin ou l'après-midi... » Alors le client : « C'est parce que j'aurai le plombier dans l'après-midi. » Comme Église, sommes-nous suffisamment réactifs aux attentes de notre entourage ?

De ce point de vue, la participation à une équipe Alpha est une formation exigeante, car elle nous force à changer notre regard sur le monde. Tout est fait pour que les chrétiens comprennent comment réagissent, pensent, craignent, espèrent « ceux du dehors ». Au fur et à mesure que l'équipe se renouvelle, et qu'un nombre croissant de responsables de la paroisse sont passés par Alpha, toutes les activités de la communauté connaissent cette conversion, au sens le plus littéral, qui les fait se tourner de l'intérieur vers l'extérieur.

À la paroisse de Holy Trinity Brompton, on l'a vu, le début de la croissance a été largement nourri par le parcours Alpha, qui a attiré des milliers de jeunes autour de la trentaine. S'est rapidement posée la question : « Comment faire pour les aider à grandir et à vivre ? » C'est là que la paroisse commença à développer des parcours avec le même souci de l'« usager » : des parcours simples, brefs, sans engagement, qui partent des questions que les gens se posent. Ils ont ainsi conçu tout un parcours sur la famille : « Elle & Lui, un couple ça se construit ! » pour les couples, « Avant le oui », pour les fiancés, des parcours sur divers aspects de la vie relationnelle : éducation des petits enfants et des adolescents, éducation par un parent seul ; divorce et séparation ; deuil ; grossesse non désirée. Les besoins sont sans fin, et dans ce domaine aussi les chrétiens ont des choses importantes à dire au monde. Cet effort de comprendre les besoins de l'autre est essentiel aujourd'hui et très fécond : aujourd'hui en France, les églises qui ont lancé le parcours « Elle & Lui » sont submergées par la demande, et ont des listes d'attente sur deux ou trois ans – un peu comme la Lada de mon histoire...

Cette capacité à parler le langage des gens, à comprendre leurs besoins, à les anticiper, à aller vers eux, sera un aspect essentiel de la vie de nos communautés dans les vingt années qui viennent. Elle fera la différence entre celles qui grandissent, se renouvellent, suscitent en leur sein de nouveaux pasteurs, et celles qui se ratatinent.

La vision stratégique

Je suis bien conscient que le mot « stratégie » fait peur appliqué à la vie de l'Église au point d'être politiquement incorrect. Pour exprimer la même idée, la Bible utilise le mot « vision » et dit avec clarté : « Faute de vision, le peuple périt » (Proverbes 29, 18). La vision stratégique est la capacité à réfléchir au futur et, au-delà des limites de l'activité existante, à brosser une vision de moyen terme et à définir les orientations pratiques pour les atteindre.

Au niveau 1, la personne connaît son domaine, se préoccupe de résoudre les problèmes d'aujourd'hui. Le niveau 2 est capable de développer un plan à moyen terme qui s'insère dans un cadre d'ensemble plus large. Le niveau 3 est capable de définir la stratégie de moyen terme d'une organisation complexe.

Là aussi, posons-nous la question : y a-t-il en matière de stratégie un niveau cible que l'on doit atteindre pour exercer ses responsabilités de manière satisfaisante ? De nombreuses responsabilités peuvent être exercées avec le niveau 1. Ainsi, la personne en charge d'un groupe de préparation au baptême, ou de l'accueil dans un groupe Alpha, ou de l'antenne locale du Secours catholique, a surtout besoin de comprendre et résoudre les problèmes actuels. D'une manière générale, le niveau 1 est suffisant pour des activités insérées dans un cadre relativement normé, sans que ceux qui contribuent individuellement aient nécessairement à élaborer les évolutions de moyen terme.

Le niveau 2 est requis d'une personne qui a la charge d'un secteur d'activité complet et qui doit savoir le faire évoluer à horizon de deux ans. Il en est ainsi par exemple des responsables des équipes de préparation au mariage. Ils ont dû faire rapidement évoluer, en l'espace d'une génération, la manière dont les jeunes gens sont accueillis et préparés au mariage chrétien, dans un contexte où, aujourd'hui, l'immense majorité de ceux qui se présentent vivent déjà une vie commune. Ce niveau est aussi requis du responsable des affaires économiques de la paroisse qui doit savoir développer une vision intégrant la planification financière et les considérations pastorales.

Le niveau 3 implique de savoir réfléchir sur un horizon de trois à cinq ans et de développer un plan d'action qui puisse se décliner sur différents plans. Un nouveau curé, qui prend sa charge généralement pour six ans, peut envisager de réfléchir à ce terme. C'est également l'horizon de temps des responsables d'activités faisant appel à de nombreux bénévoles requérant de travailler en équipe et devant être formés. La réflexion à ce niveau est complexe car sur une période de trois à cinq ans, les évolutions peuvent être très variables. Or, la prédiction est difficile, surtout lorsqu'elle concerne l'avenir ! La réflexion à moyen terme requiert de savoir réfléchir à différents scénarios possibles et à adapter son attitude en fonction des circonstances. C'est cette qualité que développent les gens dont on dit qu'ils ont « toujours un coup d'avance ». C'était par exemple le cas de Konosuke Matsushita, né en 1894, qui a fondé au Japon l'immense groupe industriel multinational qui porte son nom. Âgé de quatre-vingt-dix ans, il fut interviewé par deux journalistes américains sur les clés de son succès. À leur surprise, il leur développa sa vision de l'avenir : une vision stratégique à... deux cent cinquante ans, découpée en sections de vingt-cinq ans. L'un des journalistes lui demanda, goguenard, avec une fausse déférence : « Et que faut-il pour réussir une stratégie à deux cent cinquante ans ? » Le vieil homme sourit finement et répondit : « De la patience. »

Cette vision à long terme n'a pas manqué dans l'Église. Au XIIᵉ siècle par exemple, il s'est trouvé partout en Europe des chrétiens emplis de vision et de patience : les bâtisseurs de cathédrales. Les chantiers duraient entre cent et deux cents ans, à une époque où l'espérance de vie était inférieure à vingt ans ! Saurons-nous retrouver de telles visions ? Dans notre aventure française, il s'est trouvé quelques hommes exceptionnels pour nous faire comprendre que la perspective temporelle que nous devions prendre était longue. Le cardinal Jean-Marie Lustiger en particulier, dans notre entretien de 1999, soulignait que dans l'histoire du renouveau de l'Église, en France et ailleurs, la pleine mesure n'était atteinte que sur une période de soixante-dix ou quatre-vingts ans : il nous invitait ainsi à prendre de la hauteur, à adopter une forme d'abandon dans l'action.

En développant Alpha en France, nous avons essayé de nous donner un horizon de cinq ans, en nous disant, comme Sénèque, qu'« il n'y a pas de vent favorable pour celui qui ne sait pas où il va... ». Concrètement, nous avons essayé de coucher sur le papier une définition des objectifs que nous aimerions avoir atteints, dans différents domaines : nombre de conférences de formation, nombre des régions où Alpha se développe, perspectives à moyen terme sur la pastorale des couples, sur le soutien des donateurs sans lequel rien de tout cela n'aurait pu grandir, etc. Bref, nous avons essayé de travailler selon les différents critères de compétences présentées dans ce chapitre, la vision stratégique en particulier. Avec le recul des années, il s'avère que cet exercice a été essentiel : il nous a obligés à réfléchir ensemble, en recueillant les idées de chacun ; à faire une analyse précise des réalités de terrain de manière à ne pas réinventer la roue, et à répondre aux besoins ; à imaginer quelles pourraient être les évolutions les plus probables de l'environnement et la manière d'y répondre ; à prier ensemble pour discerner ensemble où il nous semblait que Dieu faisait signe d'avancer. Bref, je suis un fervent adepte des plans à cinq ans !

Et je m'empresse d'ajouter que, d'une autre manière, ils sont parfaitement vains... Force m'est de constater en effet qu'aucune évolution significative d'Alpha en France – que ce soit au niveau de l'accueil des évêques ou des communautés évangéliques, de l'unité des chrétiens autour du projet, de l'apparition des principaux donateurs, de l'édification et de la pérennité de l'équipe, du foisonnement de nouveaux parcours, de la transformation des cœurs – ne peut s'obtenir en s'appuyant sur la sagesse humaine. Cela a été vrai aux débuts d'Alpha, je suis convaincu que cela le sera encore plus alors que le projet prend de l'ampleur. Le principal avantage de l'exercice de planification est de me confirmer que nous préférons nous appuyer sur la Providence de Dieu, qui a toujours été bon pour nous, que sur les plans à moyen terme ! Les deux sont nécessaires, mais attention à ne pas se tromper dans l'ordre des priorités.

La gestion du changement

Cette compétence consiste à rechercher des changements dans l'orientation et le fonctionnement d'une organisation. Elle requiert de savoir convaincre un groupe humain d'évoluer dans la même direction. Au niveau 1, la personne accepte le changement s'il reste mesuré ; au niveau 2, la personne est capable de remettre en cause le statu quo et de spécifier ce qui doit être changé ; au niveau 3, la personne est capable de susciter le changement dans l'organisation en mobilisant des individus ou des groupes.

La gestion du changement est une compétence spécialement importante dans un monde en mutation rapide, où les organisations doivent s'adapter. Il est difficile partout, même dans l'entreprise. Pour faire comprendre la résistance au changement, les psychologues des organisations utilisent parfois l'histoire suivante : Quatre singes sont enfermés dans une cage (les plus critiques diront que décidément, j'ai du mal dans le choix de mes parallèles…). On ajoute des bananes attachées à une corde, auxquelles les singes peuvent accéder par une échelle. Mais la corde est piégée. Si un singe la tire pour attraper une banane, toute la cage est inondée par une douche glaciale. Un singe aperçoit les bananes et grimpe à l'échelle pour les récupérer. Mais avant qu'il n'ait pu atteindre le régime, les douches froides se mettent en route, arrosant tous les singes. Après trois ou quatre scènes identiques, les singes se jettent sur celui qui entreprend de monter à l'échelle. Après plusieurs tentatives, on retire le singe mouillé que l'on remplace par un autre qui n'a pas connu l'expérience. Le nouvel arrivant repère le régime de bananes et se dirige vers l'échelle. Mais avant qu'il n'ait pu atteindre le mets appétissant, les autres singes se jettent sur lui pour l'empêcher de monter et le rouent de coups. Plus personne ne monte. On retire encore un singe mouillé auquel on substitue un nouveau singe, sans expérience préalable de la douche. À peine arrivé dans la cage, repérant la banane, il tente de monter à l'échelle mais les autres singes le rouent de coups. Puis on remplace encore un singe mouillé par un singe sec, qui n'a pas connu l'expérience. Le nouvel arrivant se fait encore battre dès qu'il touche l'échelle et ainsi de suite. À la fin de l'expérience, il ne reste plus que des singes qui n'ont pas connu la douche froide. Néanmoins, sans même savoir pourquoi, ces singes battent les nouveaux arrivants dès qu'ils font mine de monter à l'échelle…

J'ai souvent vu des cadres dirigeants sourire, un peu gênés, quand ils réalisaient que cette métaphore leur rappelait certains des comportements de leurs propres organisations : « Oh, mais on a essayé en 1984 et ça n'a pas marché… » Cette petite histoire, si peu flatteuse soit-elle, n'est-elle pas aussi applicable à certains aspects de la vie de nos communautés chrétiennes ? Est-ce que nos préjugés ne nous font pas dire trop souvent, tel le proverbial Joseph Prudhomme : « Je n'aime pas les épinards. Heureusement ! Car si je les aimais, j'en mangerais ; or je les déteste. »

Dans la situation actuelle d'évolution rapide de l'environnement et de l'Église, il me semble que la capacité à *accepter* le changement est le minimum que l'on puisse attendre des chrétiens. Combien de communautés sont paralysées par des discussions interminables sur des points de changements mineurs, comme l'heure de la messe ou la place de l'harmonium. Un peu comme cette vieille dame accueillant un nouveau pasteur en lui disant : « Monsieur le pasteur, j'ai connu onze de vos prédécesseurs dans cette paroisse. Tous ont essayé d'introduire des changements, et j'ai réussi à faire échouer chacun de leurs plans. »

Un exemple particulièrement net de résistance forcenée au changement concerne le choix de nouveaux chants. Ci-dessous quelques extraits de lettres adressées par des paroissiens à leur curé ou à leur pasteur. Elles ont été écrites... au XIXᵉ siècle, mais ont malheureusement gardé toute leur fraîcheur :

> « Qu'est-ce qui vous déplaît dans les cantiques tellement inspirants de notre enfance ? Quand je vais à l'église, c'est pour adorer Dieu, pas pour être distrait en étant obligé d'apprendre de nouveaux chants. Dimanche dernier a été particulièrement exaspérant. Le texte était bon, mais l'air inchantable et les nouvelles harmonies totalement discordantes » (1890) ; « Je ne suis pas professeur de musique, mais je pense savoir reconnaître de la musique d'église de qualité quand j'en entends. Les chants de dimanche dernier, si on peut appeler ça des chants, ressemblaient à une ballade d'amour sentimentale qu'on s'attend plutôt à entendre dans un tripot. Si vous conti-

nuez à nous exposer à de telles horreurs dans la maison de Dieu, ne vous étonnez pas que les fidèles cherchent d'autres endroits. Nous n'avons besoin que d'une chose : les chants de notre enfance » (1863) ; « Était-ce l'idée de l'organiste ou la vôtre ? Notre paisible liturgie dominicale a été totalement gâchée par le nouveau chant dimanche dernier. C'était de la musique sacrilège, que l'on s'attend à trouver dans un lieu de débauche, pas dans une église. Ne vous attendez pas à ce que j'essaie même de chanter la prochaine fois » (1874).

Le changement est toujours difficile, même (surtout ?) dans l'Église. Le niveau 2 de la compétence de gestion du changement se caractérise par la capacité de communiquer une vision claire de la nouvelle direction, que l'on en ait été ou non à l'origine ; de savoir susciter l'intérêt des autres pour le changement, de les aider à vaincre leurs réticences et de leur expliquer quel rôle ils peuvent y jouer. Au niveau 3, il y a une capacité à mobiliser les émotions des gens, pas seulement leur intelligence, au service du changement. Les communautés qui ont su évoluer et grandir ont bien compris le rythme du changement. Le pasteur John Wimber, fondateur du mouvement des églises du Vineyard, aimait à répéter : « Pour ce qui est du changement dans l'Église, on a souvent tendance à surestimer ce que l'on peut faire en un an, et à sous-estimer ce que l'on peut faire en cinq ans. » Nos communautés ont besoin de personnes qui s'engagent sur un changement de moyen terme, ce qui demande du souffle, de la vision et de la persévérance.

Le pape Jean XXIII s'y connaissait en changement, pour avoir lancé, à près de quatre-vingts ans, la plus formidable opération de changement intervenue en plusieurs siècles dans l'Église catholique, le concile Vatican II, qu'il avait modestement caractérisée comme une « mise à jour », l'*aggiornamiento*. La prière suivante lui est attribuée, que nous pourrions utiliser dans nos communautés chrétiennes lorsque nous voudrions qu'elles évoluent :

> Seigneur donnez-moi la force de changer les situations que je peux changer,
> Donnez-moi la force d'accepter celles que je ne peux pas changer,
> Surtout donnez-moi la grâce de voir la différence entre les unes et les autres.

Au terme de cette revue, on peut avoir l'esprit étourdi par tant de compétences à développer : sens du résultat, vision stratégique, coopération, développement des personnes, gestion d'équipe, sens du changement, connaissance des besoins. J'ai bien conscience d'introduire ici un mode de pensée différent de ce qui se pratique ordinairement dans nos communautés. Je demande pardon si j'ai pu choquer tel ou tel. Je suis convaincu, par d'innombrables conversations avec des personnes en responsabilité dans l'Église, que nos communautés gagneraient à ce que nous prenions tous plus au sérieux nos compétences de leaders. Comme le recommande Paul, « ceux qui ont le don de diriger, qu'ils l'exercent avec diligence » (Romains 12, 8), c'est à ce prix que nous pourrons, dans notre vie en Église, tirer le meilleur parti des talents des uns et des autres. D'ailleurs, à titre d'exercice, je vous suggère maintenant de vous auto-évaluer en utilisant la grille suivante :

Compétences	Niveau 1	Niveau 2	Niveau 3
Coopération			
Sens du résultat			
Développement des personnes			
Animation d'équipe			
Vision stratégique			
Compréhension des besoins			
Gestion du changement			

Mettez le signe † pour une compétence exercée dans l'Église et le signe € pour une compétence exercée dans le monde. Notez-vous une différence ?

9

Passer les murailles

UN HOMME RACONTE qu'il se trouvait au milieu du pont du Golden Gate, à San Francisco, et admirait la vue. Un touriste, à ses côtés, murmure :
— Quel Dieu merveilleux qui a créé tout cela !
— Vous êtes chrétien ? lui demande-t-il.
— Oui...
— Moi aussi !
Ils se serrent chaleureusement la main.
— Êtes-vous chrétien libéral ou conservateur ?
— Chrétien conservateur ! répond le touriste.
— Tout comme moi !
Le courant passe bien... Les deux hommes se sourient d'un air complice.
— Mais... êtes-vous chrétien conservateur conventionnel ou dispensateur ?
— Chrétien conservateur dispensateur.
— Ah ! Bravo, moi aussi !
Ils échangent une tape amicale dans le dos.
— Mais, dites-moi, pour être précis, êtes-vous chrétien conservateur dispensateur du début des Actes des Apôtres, mi-Actes, ou de la fin des Actes des Apôtres ?

— Vous faites bien de poser la question ! Je suis chrétien conservateur dispensateur mi-Actes des Apôtres.

— Alors là, c'est épatant ! C'est exactement comme moi.

Et ils échangent leurs adresses pour s'envoyer des vœux à Noël. Et de reprendre :

— Mais… vous êtes chrétien conservateur dispensateur mi-Actes des Apôtres, chapitre 9 ou 13 ?

— Chrétien conservateur dispensateur mi-Actes des Apôtres, chapitre 9, cela va sans dire…

— Il semblerait que nous ayons été faits pour nous rencontrer.

Et les deux hommes de se donner une forte accolade fraternelle.

— Encore un mot, si vous le permettez.

— Mais faites ! Faites ! Avec joie !

— Entre nous, demande-t-il à voix basse, chrétien conservateur dispensateur mi-Actes des Apôtres, chapitre 9 pré-Tribulation ou post-Tribulation ?

— Chrétien conservateur dispensateur mi-Actes des Apôtres, chapitre 9 pré-Tribulation.

— Et avec ou sans le verset 12 ?

— Avec !

À ce moment, raconte l'homme, mon sang ne fit qu'un tour. J'ai pris le touriste par le col et l'ai fait passer par-dessus le parapet en lui criant : « Meurs, hérétique !… »

Les chrétiens, heureusement, n'en sont plus là, même si historiquement ils ont connu bien pire. Il y a quelques années, j'ai assisté à une méditation par l'un des plus célèbres prédicateurs anglicans, J. John, sur l'Église. « Maris, aimez vos femmes comme le Christ a aimé l'Église : il s'est livré pour elle, afin de la rendre sainte, pour la purifier avec l'eau et avec la Parole, et la présenter à lui-même comme une Église radieuse, sans tache, ni ride, sans aucun défaut, sainte et irréprochable » (Ephésiens 5, 25-27). Il a lu ce texte, puis on a amené sur scène un mannequin, comme ceux que l'on voit dans les vitrines, vêtu d'une magnifique robe de mariée : l'illustration, en tulle et celluloïd, de l'image de Paul ! Il a pris de gros ciseaux de tailleur, de plus de quarante centimètres de long. Puis il a lu solennellement les grandes étapes de la division des chrétiens. IVe siècle, première grande division : crac, coup de ciseaux ! XIe siècle, division entre l'Église d'Orient et l'Église d'Occident, avec excommunications mutuelles, plusieurs coups de ciseaux ; XIIIe et XIVe siècles, nouvelles divisions, avec des papes installés à Avignon, coups de ciseaux ; XVIe siècle, rupture profonde au moment de la Réforme, coups de ciseaux ; XIXe et XXe siècles, divisions sur divisions, conduisant à l'apparition de plusieurs milliers de confessions chrétiennes. Les ciseaux n'arrêtaient pas de cliqueter. À la fin, le mannequin dépouillé était au milieu de la scène, la robe en lambeaux. Et lui de nous demander : « Qu'avons-nous fait de la vision de Jean à la fin de l'Apocalypse ? » : « Je vis la Cité sainte, Jérusalem nouvelle, qui descendait du ciel de chez Dieu, elle s'est faite belle comme une jeune mariée parée pour son époux » (Apocalypse 21, 2). J'ai trouvé singulière cette façon de présenter les choses mais, lorsqu'on y songe, le véritable gâchis, c'est ce que nous avons fait de cette Église, que le Christ aime et pour laquelle il s'est livré. Le mystère le plus somptueux que Dieu donne à l'homme de goûter les épousailles de Dieu avec l'humanité, nous l'avons foulé aux pieds. C'est la grande différence de perspective entre Jésus et nous : lui voit l'Église telle qu'elle devrait être et telle qu'elle sera, tandis que nous, nous la voyons telle qu'elle est !

Les chrétiens vivent depuis plus de cinquante ans un mouvement d'unité profond, à l'échelle de la planète, entre les différentes confessions. Néanmoins, la tâche est ardue : il y a à ce jour plus de trente-cinq mille dénominations chrétiennes recensées, et il s'en crée chaque mois de nouvelles ! Le chemin à accomplir jusqu'à la pleine unité visible semble interminable. Les responsables des Églises travaillent, en faisant face au poids de siècles de division et d'incompréhension. Les théologiens travaillent aussi, et font, dans l'ombre la plupart du temps, un travail minutieux pour découvrir la vérité commune, au-delà des positions qui ont divergé au cours des siècles.

Par-delà le travail des responsables et des théologiens, le témoignage des martyrs est un puissant ferment d'unité. Il y a eu au XXᵉ siècle plus de martyrs chrétiens de la foi que dans les dix-neuf siècles qui ont précédé. Aujourd'hui, comme depuis les débuts de l'Église, le sang des martyrs est la semence des chrétiens. En 1998, Westminster Abbey, l'un des plus beaux monuments chrétiens de Londres, a reçu dix nouvelles statues qui ont été placées dans des niches vides depuis le Moyen Âge. Dix statues représentant des martyrs chrétiens du XXᵉ siècle de différentes confessions chrétiennes sur tous les continents. Parmi eux, Manche Masemola, une catéchumène sud-africaine anglicane de seize ans tuée par ses parents en 1928 ; le père Maximilien Kolbe, prêtre catholique polonais assassiné par les nazis en 1941 ; Lucian Tapiede, un anglican de Papouasie-Nouvelle-Guinée, tué en 1941 pendant l'invasion japonaise ; Dietrich Bonhoeffer, pasteur luthérien allemand, assassiné par les nazis en 1945 ; Martin Luther King, pasteur baptiste, assassiné en 1960 dans son combat pour les droits de l'homme ; Wang Zhiming, pasteur et évangéliste chinois, tué pendant la Révolution culturelle en 1972 ; Janani Luwum, archevêque anglican ougandais, assassiné sous le régime d'Idi Amin Dada en 1977 ; Mgr Oscar Romero, archevêque catholique d'El

Salvador en 1980. En découvrant, proches de nous, des exemples de foi si puissants, nous sommes poussés à dépasser les divisions souvent mesquines entre différentes communautés.

Aux côtés des théologiens, des responsables, des martyrs, les chrétiens ordinaires travaillent aussi et font sur le terrain œuvre d'unité par une multitude de réalisations pratiques. Alpha est aujourd'hui dans l'Église l'un des lieux où l'unité se vit profondément, tout en conservant la diversité. En effet, chaque communauté chrétienne y garde intactes sa couleur et sa tradition, tout en vivant en communion avec les autres.

Mais on peut se demander au fond pourquoi Dieu veut l'unité des chrétiens. Qu'entend-on par là ? L'unité est-elle un sujet facultatif ? Est-ce une caractéristique utile de l'Église, dont il serait bon qu'elle fût dotée mais qui ne serait pas indispensable ? Est-ce au nom de l'efficacité que les chrétiens doivent être unis ? Est-ce pour une raison de bienséance, histoire de montrer une façade acceptable au monde ? N'y a-t-il pas des raisons plus profondes que cela ?

Dieu veut l'unité des chrétiens et de l'Église, car il est lui-même « un ». De surcroît, il veut que cette unité se fasse dans l'amour. C'est là le point fondamental. Dans les pages d'ouverture de la Genèse, on voit ce Dieu qui est à la fois un et pluriel parce qu'il est à la fois Père créateur, Fils, par lequel le monde est créé, et Esprit qui est l'esprit d'amour entre le Père et le Fils. Et Dieu de dire : « Faisons l'homme à notre image, selon notre ressemblance » (Genèse 1, 26). De la même manière que Dieu est un et pluriel à la fois, l'être humain porte en lui la marque de l'unité dans la diversité : il est à la fois homme et femme. Et Dieu de leur dire « Soyez féconds et multipliez-vous » – nous sommes dans la pluralité ; mais aussi

213

« soyez une seule chair » – c'est l'unité. C'est cette unité vécue dans l'amour que Dieu veut pour l'humanité et l'Église, parce qu'elle est profondément inscrite dans son être même, sa nature divine. C'est pour cela que plusieurs millénaires après la création, Jésus, le Fils unique par qui tout a été fait, fait cette ultime prière avant d'entrer dans sa passion : « Que tous soient un, comme toi, Père, tu es en moi, et comme je suis en toi, afin qu'eux aussi soient un en nous, pour que le monde croie que tu m'as envoyé » (Jean 17, 21-22). Ce ne sont pas des raisons périphériques qui justifient la recherche de l'unité, mais la nature même de Dieu, de l'homme et de l'Église. En vivant ce mystère de l'Église, en communiquant autour de nous le sens de l'unité, nous répondons à un commandement profond qui correspond à la nature de Dieu, à la fois pluriel et un.

Concrètement, plusieurs considérations peuvent alimenter notre désir d'unité.

Premièrement, les chrétiens divisés ne sont pas crédibles. La finalité première d'Alpha n'était pas de travailler à un rapprochement œcuménique. Mais ceux qui annoncent l'Évangile réalisent rapidement que la division entre chrétiens est une pierre d'achoppement majeure pour le monde. Jean-Paul II le dit avec netteté : « Il est évident que la division des chrétiens est en contradiction avec la vérité qu'ils ont la mission de répandre, et qu'elle altère gravement leur témoignage. »

Deuxièmement, la division des chrétiens fait le jeu de l'adversaire. De manière plus générale, la division des hommes face au mal est mortelle. Le pasteur allemand Martin Niemöller, incarcéré par les nazis entre 1938 et 1945 au camp de concentration de Dachau, l'a bien exprimé, en 1942 :

Quand ils sont venus chercher les communistes,
Je n'ai rien dit, je n'étais pas communiste.
Quand ils sont venus chercher les syndicalistes,
Je n'ai rien dit, je n'étais pas syndicaliste.
Quand ils sont venus chercher les juifs,
Je n'ai rien dit, je n'étais pas juif.
Quand ils sont venus chercher les catholiques,
Je n'ai rien dit, je n'étais pas catholique.
Puis ils sont venus me chercher.
Et il ne restait plus personne pour dire quelque chose...

Ce qui est vrai de l'humanité, est plus vrai encore des chrétiens eux-mêmes. La division conduit à la mort. L'un des premiers enjeux spirituels que nous constatons sur le terrain est celui de l'unité : unité à l'intérieur de la communauté, à l'intérieur de l'équipe Alpha, unité entre les participants, unité dans les cœurs. On sent bien là qu'il y a un combat spirituel de premier ordre à mener pour que l'Évangile puisse continuer d'être annoncé.

Troisièmement, l'unité nous enrichit mutuellement. Sans entrer dans le relativisme, on peut dire que toute communauté possède une part de l'héritage commun à partager. Ayez des amis, pas simplement des relations, des amis dans les autres confessions chrétiennes. Comprenez-les. Aimez-les. Sachez dépasser les différences de sensibilité. Ne soyez pas naïf sur les différences substantielles qui demeurent, le but n'est pas pour un catholique de devenir évangélique ou un protestant de devenir catholique. Mais par ces amitiés, chacun comprend mieux sa propre foi, l'approfondit sous une lumière différente. Le catholique devient ainsi un meilleur catholique, le protestant un meilleur protestant, l'orthodoxe un meilleur orthodoxe. Nous apprenons tous à devenir de meilleurs chrétiens, de meilleurs disciples.

Comment se vit concrètement l'unité dans Alpha ? Un roman de mon enfance me revient à la mémoire : « Il y avait à Montmartre, au troisième étage du 75 *bis* de la rue d'Orchampt, un excellent homme nommé Dutilleul qui possédait le don singulier de passer à travers les murs sans en être incommodé. » C'est ainsi que commence le roman, désormais classique, de Marcel Aymé, *Le Passe-Muraille*. C'est ainsi que l'on pourrait caractériser l'histoire d'Alpha, qui a traversé « sans en être incommodé » les murailles souvent épaisses édifiées par des siècles de divisions entre les Églises.

Alpha est aujourd'hui utilisé par toutes les grandes confessions chrétiennes à travers le monde. Au début de chaque conférence de formation des responsables, pour faire connaissance avec la salle, il est demandé aux participants de lever le doigt pour donner une indication sur leur origine. Après l'origine géographique, l'origine confessionnelle. Pour ne pas rater cet exercice diplomatiquement délicat, je me suis préparé une petite liste des confessions les plus couramment représentées en France, et pour ne fâcher personne, je les cite par ordre alphabétique : adventistes du Septième Jour, anglicans, Armée du Salut, Assemblées de Dieu (pentecôtistes), baptistes, catholiques, évangéliques, luthériens, mennonites, méthodistes, orthodoxes et réformés. C'est une expérience extraordinaire que de rassembler, pendant quarante-huit heures, tant de confessions différentes. Je ne connais guère d'autre lieu où des chrétiens d'origines si diverses se réunissent pour prier ensemble, coopérer, ramer dans la même direction, celle du Royaume qui vient, alors qu'ils vivaient jusque-là dans l'ignorance les uns des autres, voire la méfiance.

Commentant sur l'unité des chrétiens qui se vit dans Alpha, le cardinal Barbarin s'exprimait ainsi : « À l'intérieur de l'Église, il y a toujours eu des mouvements de renouveau. Il se trouve qu'en France ils nous sont presque tous arrivés par les Églises protestantes. L'Église catholique est réveillée par ses frères protestants, béni soit Dieu ! Sans doute, y a-t-il, en sens inverse, un cadeau qui leur est fait... Dans la mesure où nous arrivons à donner le témoignage d'un travail en commun, nous répondons à un besoin profond de notre époque. Nous savons que c'est l'une des prières majeures du Christ, "Qu'ils soient un". Si nous sommes unis comme des frères pour annoncer l'Évangile de notre commun Seigneur, nos divisions sont des détails à côté ! »

Chacun dans Alpha travaille au service de sa communauté, de sa paroisse, dans le respect de sa sensibilité et de ses traditions. Mais tous font, de manière très concrète, l'expérience marquante qu'« il y a un seul Seigneur, une seule foi, un seul baptême, un seul Dieu et Père de tous, qui est au-dessus de tous, et parmi tous, et en tous » (Ephésiens 4, 5-6). À travers le monde, des dizaines de milliers de responsables chrétiens ont fait cette expérience dans le cadre des conférences de formation. Celles-ci restent pour beaucoup un moment inoubliable.

En ce sens, Alpha est un puissant ferment d'unité. Ce n'était pas le but à l'origine, puisque c'est d'abord une paroisse anglicane, recherchant un outil pour ses propres besoins qui en a été la source. Mais rapidement, je crois de façon providentielle, les autres confessions s'y sont intéressées et ont tenté l'expérience. Les catholiques anglais en particulier ont eu l'audace d'adopter un outil pastoral inventé par l'Église sœur, ennemie depuis toujours. Il y a là quelque chose de remarquable : en Grande-Bretagne historiquement, les deux grandes confessions se sont opposées, souvent violemment. La confession minoritaire, la religion catholique, y a été persécutée et a gardé de l'histoire une forme de méfiance par rapport à l'Église anglicane. Un peu comme les communautés protestantes françaises dont certaines gardent profondément en elles des blessures qui viennent de la position de confession minoritaire persécutée. Dans le contexte anglais, il était hautement improbable que les catholiques anglais adoptent un outil développé par les anglicans. Or ils l'ont fait, en la personne du cardinal Basil Hume, abbé bénédictin devenu archevêque de Westminster qui, dès 1997, a activement soutenu l'utilisation d'Alpha dans les paroisses catholiques.

Parallèlement, la plupart des grandes confessions issues de la Réforme ont tenté l'expérience et, malgré leurs différences de style, de tradition et de doctrine, s'y sont senties à l'aise. Plus récemment, des communautés orthodoxes, spécialement en Russie et en Ukraine, ont introduit Alpha, avec le soutien actif de certains de leurs principaux responsables. Dans le cadre de la disparition du communisme et dans un contexte de sécularisation rapide qui accompagne l'entrée des pays d'Europe de l'Est dans la société de consommation, les communautés orthodoxes commencent à découvrir qu'Alpha aide à s'adresser de manière convaincante à un environnement en bouleversement.

Sans que rien ait été planifié, une dynamique nouvelle s'est mise en place, qui rend possible une manière d'annoncer la Bonne Nouvelle et d'approfondir la foi chrétienne dans le terreau propre à chacun. « L'essayer, c'est l'adopter ! » est ici une réalité, tant les principaux obstacles sont la perplexité devant ce qui est nouveau, le manque de temps, la crainte de voir se développer des orientations pastorales différentes. Dès lors qu'une communauté sait dépasser ces hésitations, s'enhardit à faire le premier pas, à essayer, elle découvre que l'outil Alpha est particulièrement adaptable à ses propres réalités. L'acclimatation est facile, non pas *en dépit* du fait que ce soit une méthode éprouvée, mais *parce que* la méthode, qui codifie des attitudes pastorales qui ont fait leurs preuves, permet que la communauté accueille et organise le parcours en se concentrant sur ce qui fait sa spécificité. L'expansion étonnante d'Alpha est précisément due au fait que chaque communauté la met en place avec son propre style. J'ai assisté à des soirées Alpha dans des environnements confessionnels les plus divers : dans des églises pentecôtistes, où le public a l'habitude de ponctuer par de vigoureux « Amen ! » les points forts de l'exposé de l'orateur ; dans des paroisses catholiques ou réformées, où la foi est vécue de manière plus discrète, mais dont les dîners, moins chatoyants sans doute, n'en laissaient pas moins pressentir la présence de Dieu ; lors de barbecues Alpha évangéliques, proposés en plein air avec l'audace joyeuse qui caractérise ces communautés. Mais aussi lors de dîners où l'équipe était principalement constituée de militants d'Action catholique qui ont retrouvé dans Alpha, adapté aux nécessités du moment, les grandes intuitions qui avaient fondé leur engagement : le lien entre la foi et la vie, le parti pris de l'espérance, « l'être-ensemble », l'importance pour l'Église d'être présente au monde de manière concrète, la conception de la mission sous le mode du dialogue… J'ai vu des soirées Alpha organisées par l'Armée du Salut pour les gens de la rue, dont le désir de comprendre était si grand que certains n'hésitaient pas à se lever en plein milieu de l'exposé pour poser une question à l'orateur (ce n'est pas prévu dans la méthode…). Toutes ces communautés ont découvert que si elles restaient fidèles à la recette, Alpha les aidait à mieux mettre en valeur, pour elles-mêmes et pour leur environnement, ce qu'elles ont de meilleur profondément. Un peu comme un bon éclairage fait ressortir plus vivement et plus fidèlement les couleurs d'un tableau.

Alpha nous permet aussi de retrouver des parties de l'héritage commun que, pour plusieurs raisons, les différentes confessions chrétiennes vivent sur un mode « mineur », quand elles ne les ont pas purement et simplement abandonnées. Ainsi, on a trop souvent différencié l'évangélisation par la parole, par les œuvres et par les prodiges, les miracles, les signes. Chaque tradition s'attache à tel ou tel aspect. Or Jésus liait ces trois aspects dans l'annonce du Royaume. Il évangélisait par sa parole, il faisait des œuvres de miséricorde, puis son annonce était validée par des prodiges et des miracles. Dans les parcours Alpha, nous essayons de retrouver ces trois dimensions en annonçant l'Évangile à la fois par la parole, les œuvres et les prodiges.

Le fait qu'une trame commune d'enseignement existe est une dimension importante. Les enseignements repris dans le livre *Les Questions de la vie* et en vidéo ne constituent pas un catéchisme commun, ce serait une unité factice. Le texte reprend les bases communes du Credo et les développe, d'une manière qui parle aux hommes et aux femmes de notre époque. Le but premier est de toucher le cœur de chacun, c'est la démarche du kérygme. Cette manière de dire les choses, peaufinée au fil des années, n'est simple qu'en apparence. Elle demande de savoir se mettre à la place de celui à qui elle est destinée. C'est à ce titre que nous soulignons l'importance, sans rien forcer, pour que les orateurs restent au plus près de l'original tant qu'ils n'ont pas expérimenté la dynamique propre à ce texte pendant plusieurs sessions. Non pas au nom d'un goût de l'uniformité, mais pour que les enseignements restent accessibles à tous. Or, d'instinct, un chrétien qui a derrière lui cinq, dix, vingt ou quarante ans de vie chrétienne partira de là où lui se trouve, et non du niveau d'où part son public.

Cela ne signifie pas que les traditions des uns et des autres soient laissées de côté au profit d'un plus petit dénominateur commun. Régulièrement, lors des formations, avant d'avoir véritablement expérimenté Alpha, certains catholiques viennent me trouver en déplorant qu'il ne soit pas fait une plus grande place aux sacrements, ou à la Vierge Marie ; certains réformés expriment le souhait que la Bible soit davantage mise en avant ; pour certains pentecôtistes, c'est la vie dans l'Esprit qui devrait être développée avec un accent particulier sur les signes et les prodiges. J'ai la chance depuis plus de dix ans d'avoir vécu avec des communautés chrétiennes très différentes, et de m'y sentir partout à l'aise. Je crois bien comprendre la richesse et l'importance de ces traditions. Ce que je constate en pratique, c'est que ces dimensions importantes de la vie de chaque communauté se reflètent parfaitement dans leur parcours Alpha : dans la tonalité et les exemples choisis par les orateurs, dans les témoignages, dans les discussions amicales en soirée et lors du week-end, dans les échanges de petit groupe. Aussi, quand mes interlocuteurs me posent leur question sur telle ou telle dimension, je leur réponds : « Si les sacrements – ou la spiritualité mariale, ou l'importance primordiale de la Bible, ou la vie dans l'Esprit, ou les signes et prodiges… – sont de première importance pour vous, n'ayez crainte, cela ressortira de mille façons dans votre parcours Alpha. Les participants qui viendront au Christ en vivront à leur tour. En revanche, si vous vous contentez d'en parler, sans en vivre, cela ne passera pas, et Alpha n'y pourra pas grand-chose… Prenez garde car, en définitive, tous ces nouveaux chrétiens qui vont venir à la Vie dans votre communauté, c'est à vous qu'ils ressembleront ! » Au-delà de différences parfois substantielles, tous les chrétiens font partie d'une même famille, celle des enfants adoptifs du Père. Même quand des frères et sœurs se disputent ou ne se voient pas pendant longtemps, ils demeurent frères et sœurs.

Pendant la semaine de prière pour l'unité des chrétiens, il est recommandé d'aller prier dans une communauté d'une autre confession. Lors d'une de ces réunions, un monsieur catholique un peu raide demande à sa voisine : « De quelle confession êtes-vous ? — Je suis évangélique », répond-elle. « Évangélique ! Mais comment peut-on être évangélique ? — Mon grand-père était évangélique, et mon père était évangélique. — En voilà une raison ! Et si votre père et votre grand-père avaient été des imbéciles, que seriez-vous ? » Elle répond du tac au tac : « Catholique, j'imagine. » Je précise tout de suite que cette histoire – imaginaire – aurait pu se passer dans n'importe quelle confession… Heureusement, elle est improbable de nos jours, mais illustre bien la tristesse de notre division.

Par ce parcours commun, l'unité se vit dans le respect de la diversité. C'est d'ailleurs ce qui, avec Florence, nous a tant plu dans Alpha : le fait que la paroisse d'origine, Holy Trinity Brompton, n'ait jamais recherché à attirer plus de membres, mais à renvoyer systématiquement les gens vers leur église d'origine. Nombre de méthodes et de programmes sont mis en place par les mouvements, églises et communautés nouvelles, certains sont excellents. Beaucoup ramènent vers la communauté qui les organise. Ce qui nous a touchés, dans la démarche d'Alpha, c'est que chaque communauté trouve un moyen d'y grandir à sa manière.

C'est bien parce que chacun perçoit cela que les conférences de formation attirent une foule spirituellement si bigarrée. Lors d'une récente conférence à Paris, près de huit cents participants, représentant plus de quinze confessions chrétiennes, étaient présents, sans compter les sensibilités différentes à l'intérieur d'une même confession. Ces week-ends de formation sont des temps très puissants de découverte mutuelle. Au début du week-end, on ressent un peu d'appréhension devant toutes ces nouvelles têtes. Puis rapidement, on arrive à briser la glace, à réaliser que l'autre finalement n'est pas si différent, que ce qui nous unit est plus important que ce qui nous divise, spécialement aux yeux du monde. Les cœurs s'ouvrent, et rapidement la « bonne odeur du Christ » se répand dans l'assemblée, qui domine même le fumet des plats délicieux qui sont devenus la marque de fabrique Alpha, en France au moins... La découverte mutuelle permet un enrichissement. Nos dons, nos manières de faire sont différents, mais nous nous découvrons membres d'un seul corps par un unique baptême. Nous parlons la même langue, nous aimons le même Seigneur. Nous sommes enfants d'un même Père. Nous découvrons avec émerveillement des frères, des cousins, comme si nous avions été séparés longtemps.

Dans Alpha, j'ai appris à me réjouir de la diversité de l'Église. Avant, j'avais tendance à être dérouté, voire irrité quand je rencontrais des chrétiens qui vivaient leur foi de manière trop différente de la mienne. Avec le temps – et l'action de l'Esprit-Saint – j'ai appris à me réjouir de cette variété. Je pense que c'est un trait de caractère important du disciple du Christ aujourd'hui : savoir se réjouir authentiquement de la variété de l'Église. Nous apprenons, en entrant dans les équipes Alpha, que lorsque nous sommes véritablement dans l'adoration devant Dieu Créateur et Père, aucune différence de liturgie ou de sensibilité ne saurait nous troubler.

La prière est l'élément dans lequel baigne tout ce qui est fait dans Alpha. La prière est présente à chaque étape d'un parcours. En ce qui concerne l'unité des chrétiens, les week-ends de formation sont un temps privilégié. Le dimanche matin, les participants se rassemblent pour une prière commune. Dès la première année, nous avions confié l'organisation de ce moment à un diacre catholique et une femme pasteur luthérienne. Clairement, ni l'un ni l'autre n'avait l'habitude de traiter avec l'autre partie. Ne sachant comment faire, ils ont prié ensemble. Il lui a dit : « Je vous laisse la préséance du choix, que voulez-vous faire ? » Elle lui a dit : « Je commencerais bien par la lecture d'un texte de l'Évangile. » Ils ont eu la même inspiration, celle de lire l'Évangile de Jean au chapitre 15, la scène du lavement des pieds. Depuis, ce geste est resté et, par la prière, nous découvrons que le Christ nous bénit car nous sommes deux ou trois réunis en son nom. Prière puissante qui chacun nous rapproche de Dieu. Étant donné le poids de l'histoire, des sensibilités différentes, et nos tentations permanentes de repli sur nous-mêmes, notre dialogue, notre fraternité, notre amitié ne peuvent nous rapprocher que dans une certaine mesure. Nous nous rapprochons de façon horizontale mais, pour atteindre une unité plus fondamentale, nous devons lever les yeux vers le visage du Christ. Plus nous nous rapprochons du Seigneur, plus nous nous rapprochons les uns des autres. La prière est *le* point essentiel pour nous unir. Chaque année, Alpha France organise des réunions de prière interconfessionnelles pour prier pour le lancement des nouveaux parcours, les équipes, les invités, les communautés qui les accueillent. C'est encore modeste, mais nous gardons notre enthousiasme intact en songeant à l'expérience de nos amis britanniques. Il y a dix ans, ils n'avaient qu'une poignée de veillées de prière pour Alpha à la rentrée. L'an dernier, il y avait plus de six cents groupes à travers le pays, priant pour les mêmes thèmes. Les trente cathédrales de Grande-Bretagne avaient été mises à disposition et remplies, dont l'immense cathédrale Saint-Paul de Londres. Verrons-nous cela un jour dans les cathédrales françaises ?

Puisque, lors de nos week-ends, arrive le temps du dimanche matin, que faire ? Après moult réflexions, consultations et prières, il nous a semblé que la solution la plus respectueuse fût de célébrer en parallèle un culte et une messe, suivis d'un service commun de prière pour l'unité. Il est déchirant de devoir célébrer l'Eucharistie et la Sainte Cène en deux liturgies différentes, éloignées de quelques mètres. J'ai vu plusieurs fois le célébrant ne pas pouvoir se retenir de pleurer en chaire, en évoquant ceux qui célèbrent juste à côté. Du côté catholique est souvent rajoutée une prière particulière, rédigée par la Communauté du Chemin Neuf dans le cadre de sa vocation œcuménique. Je ne résiste pas au plaisir de la citer, elle s'insère dans la prière qui précède la communion :

> Seigneur Jésus-Christ, tu as dit à tes apôtres : « Je vous laisse la paix, je vous donne ma paix » ; ne regarde pas nos péchés mais la foi de ton Église ; pour que ta volonté s'accomplisse, donne-lui toujours cette paix. *Donne ta paix aux Églises orientales, aux Églises orthodoxes et à leurs patriarches. Donne ta paix aux Églises issues de la Réforme, à la Communion anglicane, aux Églises évangéliques, à toutes les assemblées chrétiennes qui invoquent ton Nom, et aux responsables de chacune de ces Églises. Mets un terme à notre division*, et conduis-nous vers l'unité parfaite, Toi qui règnes pour les siècles des siècles.

Lorsque le service est fini, messe pour les catholiques, culte pour les protestants, tous se rejoignent pour une prière commune, en prenant soin de laisser les meilleures places aux confessions minoritaires, accueillies sous les applaudissements pendant un chant de louange.

Les conférences de formation et les temps de prière commune sont dans Alpha les meilleurs moments pour vivre l'unité. En revanche, nous sommes très circonspects sur les projets de parcours dits « œcuméniques » qui associent deux confessions au sein du même parcours Alpha. Pour une raison de fond d'abord : Alpha est une première annonce donnée par une communauté chrétienne, dont la « couleur » passera à travers l'accueil, les groupes de discussion, les amitiés. À cet égard, un parcours donné dans une communauté catholique sera dans le produit fini très différent d'un parcours donné dans une communauté réformée, lui-même très distinct d'un parcours proposé par une église évangélique. Le lieu où le parcours est donné est donc loin d'être neutre. Un parcours mêlant différentes confessions oscille entre deux risques : le risque d'offrir une ambiance aseptisée sur le plan confessionnel, très éloignée de l'esprit de famille qui est l'angle sous lequel de nombreux participants découvrent l'Église ; le risque de créer chez les participants des « faux plis », vus d'une confession ou de l'autre, et qui peuvent rapidement être source de sérieux malentendus. Cela n'empêche pas que des communautés de différentes confessions s'entraident pour lancer un parcours. Ainsi, dans le sud de la France, une Église évangélique qui propose depuis plusieurs années Alpha avec beaucoup de fruit a-t-elle aidé cinq paroisses catholiques des alentours à démarrer un parcours. Cependant, il est important que l'identité confessionnelle du parcours lui-même reste claire.

Une autre raison, concrète celle-là, milite contre la pratique de parcours interconfessionnels : que deviennent ensuite les participants, dans quelle communauté s'engagent-ils ? Il y a beaucoup de chances qu'ils fassent leur choix sur des critères somme toute superficiels : harmonium ou guitare, type de prédication, caractère pratique du lieu, qualité du chauffage. Les Suédois ont sur le sujet une devinette : « Quelle est la différence entre une église catholique et une église protestante ? » Réponse : « Le double vitrage... » Les participants risquent de se diriger prioritairement vers l'un des deux lieux sur la base d'un critère assez secondaire. Il risque d'en résulter rapidement des tensions entre les deux communautés organisatrices du cours, qui iront à rebours de l'intention initiale. Ce danger n'est pas théorique. Nous avons l'expérience de plusieurs cas où les dégâts ont été assez sérieux.

Au total, donc, le parcours Alpha constitue une belle expérience d'unité : pratique, pragmatique, sans prétention à atteindre un but qui n'est pas le sien. Cette expérience concrète de l'unité des chrétiens devrait faire partie du bagage de tout chrétien soucieux d'être disciple au XXIᵉ siècle. On pouvait jadis mener une vie entière sans jamais rencontrer un chrétien d'une autre confession. La démultiplication des moyens de communication et des médias réduit le monde à la taille d'un village. Un nombre croissant de chrétiens sont donc amenés à rencontrer des chrétiens d'autres confessions. Apprendre à les connaître, à les aimer, à travailler avec eux chaque fois que c'est possible s'avère une bénédiction tant au plan de notre spiritualité qu'à celui de la fécondité de la mission.

10

Y a-t-il une vie après Alpha[1] ?

D EPUIS LES DÉBUTS d'Alpha en France, beaucoup de responsables ont posé la question : « Avez-vous pensé à l'après-Alpha ? » Certains considé-raient même qu'il était indispensable d'avoir répondu à la question avant même de se lancer... Prudence louable ou mesure dilatoire, selon les cas. De fait, on pourrait souhai-ter une suite structurée et organisée comme l'est le par-cours Alpha lui-même. En prenant en compte l'expérience de nombreuses églises et paroisses, il est clair que si le par-cours initial est adapté à une grande diversité de situa-

---

1. Ce chapitre doit beaucoup aux réflexions du père Jean-Hubert Thieffry, de la Communauté du Chemin Neuf, premier curé catho-lique en France à avoir lancé un parcours Alpha. Notre texte s'ins-pire très largement de l'exposé de conclusion des week-ends de formation de responsables sur l' « après-Alpha ». Il avait posé les prémices de cette réflexion dès 2000 dans un article paru dans la revue *Christus* : « Des JMJ au parcours Alpha » (n° 190). Je garde néanmoins l'entière responsabilité des opinions exprimées ici, avec tous les défauts que le lecteur, qui a eu la patience de me suivre jusqu'ici, n'aura pas manqué de repérer...

tions, les suites sont à inventer selon les personnes et selon les communautés chrétiennes. L'après-Alpha, c'est simplement la vie de l'Église.

Néanmoins il est utile de repérer les éléments fondamentaux constitutifs de la fécondité du parcours, pour que les nouveaux croyants issus d'Alpha les retrouvent dans ce qui leur sera proposé par la suite. Les communautés chrétiennes qui mettent en œuvre le parcours devront elles-mêmes se mettre progressivement en cohérence avec ces éléments fondamentaux qui font la grâce d'Alpha. Il leur faudra, dans la durée, apprendre à mettre en œuvre d'autres aspects de la vie chrétienne nécessaires à la croissance des personnes et des communautés.

Quelques portraits

Pour faire comprendre la problématique de l'après-Alpha, il est utile de brosser quelques portraits types de personnes ayant suivi un parcours Alpha. Les différents exemples sont réels et ont eu pour cadre la paroisse catholique de Saint-Denys-de-la-Chapelle, à Paris, dans le dix-huitième arrondissement, la première paroisse catholique française à avoir lancé un parcours Alpha, en 1998. Seuls les prénoms ont été modifiés pour préserver l'anonymat des personnes concernées.

Prenons d'abord l'exemple d'Anne avec ses amis Vincent et Françoise. Au cours d'une maladie, Anne, non pratiquante, fait un chemin spirituel intérieur, se rapproche de la paroisse à côté de chez elle et y suit le parcours Alpha. Elle y est transformée et y fait une expérience d'Église. Sa fille étudiante fera aussi le parcours, fait l'expérience d'une relation personnelle avec le Christ et devient animatrice d'aumônerie. Anne invite deux amis,

Vincent et Françoise, quarante-cinq ans, à un concert de gospel organisé par la paroisse. Lui n'est pas baptisé, elle l'est, mais assez éloignée de l'Église. Voyant qu'ils sont touchés par le concert, Anne les invite à suivre le parcours Alpha suivant, dans lequel elle-même est au service. Pendant le cours, Vincent découvre le Christ ; se passionne pour la Bible et demande le baptême. Françoise redécouvre une foi vivante. Au cours du baptême, Germain, leur fils de vingt ans qui participe à la célébration au titre de témoin, est profondément touché par la présence de l'Esprit-Saint. Il demandera par la suite la confirmation. Il suit lui-même Alpha et un parcours catéchuménal. Par la suite, il se mettra au service de la pastorale des jeunes. Lors de la célébration de sa confirmation, son parrain, loin de la pratique religieuse, est profondément touché. Il demandera à se marier à l'Église.

Deuxième exemple, celui de Bertrand, quarante-cinq ans, qui rencontre le curé lors de l'inhumation de sa mère. Il exprime son désir de communier. Il avait quitté l'Église vingt ans plus tôt à l'occasion d'incompréhensions avec le prêtre qui le préparait au mariage. Bertrand suit le parcours Alpha puis se met au service des parcours suivants et retrouve une pratique régulière. Il intègre également un « groupe de maison », qui sera décrit ci-dessous.

Troisième exemple, Chantal, trente-huit ans, deux enfants, d'origine asiatique et de tradition bouddhiste. Lorsqu'elle arrive à Paris, elle ne parle pas français, ne sait ni lire ni écrire. Elle a un travail, mais se trouve assez isolée. Elle fait un rêve inattendu qui suscite en elle le désir d'être baptisée. Elle est amenée par une amie au parcours Alpha de la paroisse et ne prend la parole qu'à la dixième séance ! Elle poursuit par la préparation au baptême. Aujourd'hui elle a appris à lire, pour lire la Bible ! Elle participe à un groupe de maison et à l'éveil à la foi des tout-petits le dimanche. Elle évangélise aussi au quotidien dans son salon de coiffure.

Quatrième exemple, Franck et Matilda. Ils ont vingt-cinq ans tous les deux et demandent à préparer leur mariage à l'Église, par tradition. Aucun des deux n'est pratiquant. Comme il n'y a pas de structure locale pour se préparer au mariage, Franck et Matilda sont invités à suivre le parcours Alpha. Tous les deux vivent une conversion pendant le parcours. Aujourd'hui ils accueillent chez eux des jeunes de l'aumônerie pour des soirées d'approfondissement de la foi puis ont été animateurs d'un groupe de fiancés. Au bout de trois ans, ils ont suivi une session Cana organisée pour les couples par la Communauté du Chemin Neuf, et font partie aujourd'hui d'une fraternité Cana, qui rassemble des anciens participants à ces sessions. Matilda est impliquée dans la catéchèse et Franck aide aux travaux de la paroisse.

Cinquième exemple, Juliette, seize ans, est amenée par une amie elle-même invitée par le prêtre du quartier à la suite de la préparation d'une inhumation d'un membre de la famille. Juliette continue le parcours mais pas son amie ! Elle vit une conversion, devient animatrice d'aumônerie et approfondit sa foi avec le groupe des animateurs. Elle a amené aussi d'autres de ses amies à suivre le parcours Alpha.

Quelques portraits, cinq parmi les dizaines de milliers de personnes qui ont suivi un parcours Alpha en France depuis 1999. Ils permettent de mieux situer la question sur la suite à donner à Alpha au niveau des personnes.

Les suites d'Alpha pour les personnes

Pour identifier les suites à donner au parcours Alpha, une piste de réflexion est de regarder l'histoire des premières communautés chrétiennes. La fertilité du parcours Alpha est peut-être due à la mise en place simultanée des piliers constitutifs de toute communauté chrétienne, tels qu'ils sont apparus dès le début et ont été repérés dans le livre des Actes des Apôtres. Il est important d'identifier ces composantes de manière à pouvoir les mettre en œuvre dans ce qui sera proposé aux participants dans le prolongement du parcours Alpha : « [Les premiers chrétiens] se montraient assidus à l'enseignement (1) des apôtres (6), fidèles à la communion fraternelle (2), à la fraction du pain et aux prières (3). La crainte s'emparait de tous les esprits : nombreux étaient les prodiges et signes accomplis par les apôtres. Tous les croyants ensemble mettaient tout en commun (4) ; ils vendaient leurs propriétés et leurs biens et en partageaient le prix entre tous, selon les besoins de chacun (4). Jour après jour, d'un seul cœur, ils fréquentaient assidûment le Temple et rompaient le pain dans leurs maisons (3), prenant leur nourriture avec allégresse et simplicité de cœur (2). Ils louaient Dieu (3) et avaient la faveur de tout le peuple. Et chaque jour, le Seigneur adjoignait à la communauté (5) ceux qui seraient sauvés » (Actes 2, 42-46).

On peut ainsi identifier les éléments constitutifs de la première communauté chrétienne, qui sont au nombre de six : l'enseignement des apôtres (1), c'est-à-dire la formation ; la vie fraternelle (2) ; la relation personnelle au Christ (3) ; le service mutuel (4) ; la mission (5) ; le lien à l'Église universelle (6).

Concrètement en fin de parcours Alpha, il est donc important de rechercher les moyens d'aider les participants à continuer à vivre ces six dimensions essentielles, par leur participation à un ou plusieurs groupes. Un questionnaire est remis aux participants à la fin du parcours, qui propose une relecture du vécu, des attentes et des propositions. Il peut aider à orienter la suite. Il est aussi possible de proposer aux personnes qui le souhaitent un entretien particulier avec un prêtre, un pasteur ou l'un des responsables pour discerner la suite la mieux appropriée. On peut distinguer :

*Les suites spécifiques au parcours **Alpha***

La suite la plus naturelle pour les personnes qui ont suivi le parcours est de se mettre au service du parcours Alpha suivant. Cela renforce les liens fraternels qui ont commencé à s'établir entre les participants et l'équipe qui était au service. Leur expérience de l'Église ne date encore que de quelques semaines : il ne faut pas transplanter trop vite une plante qui vient de prendre racine. Cela permet à la personne d'entendre à nouveau les enseignements avec une tout autre ouverture du cœur que lorsqu'elle a suivi le cours pour la première fois avec toutes ses résistances. Elle peut ainsi mesurer le chemin spirituel parcouru, tout en rattrapant les séances qu'elle a pu éventuellement manquer. Ce parcours Alpha vécu pour la première fois « de l'autre côté de la barrière » permet aux nouveaux venus à la foi de découvrir leurs capacités à déjà témoigner.

Une autre possibilité est de constituer ou de rejoindre un « groupe de maison » (ou cénacle, ou fraternité, ou groupe de partage, les appellations varient). Un modèle bien adapté en France est celui des cellules d'évangélisation, développé par le curé de la paroisse San Eustorgio à Milan, Don Pigi. Dans le monde évangélique français, le pasteur Philippe Joret a mis au point un modèle inspiré des meilleurs modèles étrangers et soigneusement adapté à nos spécificités nationales. Ces modèles doivent beaucoup à la structure de groupes de maison de l'Église du pasteur David Yongi Cho qui, lancée dans les années 1960, rassemble à Séoul, en Corée du Sud, plus d'un million de membres. Les modèles sont variés, à chacun de choisir en fonction de ses propres circonstances. Ce qui est important, c'est la réalité constitutive de ces groupes. Il s'y vit plusieurs éléments clés pour permettre l'insertion dans l'Église et la croissance dans la vie de disciple : l'apprentissage de l'écoute et de l'accueil de la parole de Dieu ; l'approfondissement des liens fraternels de proximité ; le soutien de l'engagement missionnaire ; la prière qui intègre la vie concrète. Peu importe le modèle, ce qui est essentiel est de créer rapidement de tels groupes, ou de réorganiser des groupes existant en mettant en place ces différentes dimensions. À défaut, la plupart des anciens participants au parcours Alpha risquent de se retirer de la vie paroissiale.

Ces groupes sont idéalement constitués de huit à douze personnes. Ils sont formés en fonction des liens de proximité ou prolongent les liens établis lors du groupe de discussion. La fréquence est d'une à trois rencontres par mois. Différents supports peuvent être proposés pour aider à approfondir la foi et structurer la discussion. Pour certains, la base peut être le texte d'Évangile du dimanche suivant, en utilisant les commentaires disponibles ; d'autres, disposant d'intervenants bien formés, montent des parcours *ad hoc* ; d'autres encore utilisent des parcours de formation de disciples déjà disponibles, dont un exemple sont les trois ouvrages du pasteur Nicky Gumbel sur l'épître aux Philippiens, le Sermon sur la montagne ou le deuxième livre d'Isaïe.

Une soirée en groupe de maison peut avoir, à titre indicatif, la structure suivante : accueil (certains prennent le repas ensemble mais les horaires sont plus difficiles à tenir...) ; louange (dix minutes) ; partage de ce que le Seigneur a fait en moi ou autour de moi depuis notre dernière rencontre (quinze minutes) ; lecture de l'Évangile. Après un temps de quelques minutes de silence, quelqu'un peut raconter le passage de mémoire et les autres le compléter. Suit un partage des découvertes et des questions sur cette parole, en s'aidant éventuellement des notes de la Bible, et sur la manière dont elle rejoint notre vie (trente minutes) ; prière pour recevoir la grâce de témoigner dans notre entourage ou pour tel ou tel membre du groupe (quinze minutes).

Les différents groupes de maison peuvent se retrouver occasionnellement ou régulièrement, pour une soirée ou à l'occasion d'un dimanche. À Holy Trinity Brompton est vécue, une semaine sur deux, une alternance de « pastorats » qui rassemblent les membres de trois à cinq petits groupes, soit trente à cinquante personnes. Ce format permet d'inviter un intervenant pour un enseignement plus structuré, ou de travailler à un projet commun dans le domaine caritatif ou missionnaire.

Les responsables de ces groupes peuvent être amenés à prendre une importance cruciale dans la vie de la communauté. Les curés et pasteurs qui choisissent de mettre en place cette structure doivent mettre beaucoup de soin dans la sélection, la formation, l'animation et l'accompagnement spirituel de ce groupe. C'est en réussissant cette étape que le pasteur parvient à dégager les marges de manœuvre et l'effet de levier nécessaire pour faire entrer la communauté en phase d'ouverture sur le monde, d'accueil et d'expansion.

*Les suites « non spécifiques » au parcours **Alpha***

À la suite du parcours Alpha, beaucoup de personnes expriment différentes demandes qui les conduisent à intégrer un parcours catéchétique, à suivre une initiation à la messe ou au culte ; à intégrer un groupe adulte de préparation au baptême, à la confirmation, à la communion, au mariage ; d'autres sont invités à intégrer différents mouvements, ou à participer à un groupe de prière ; d'autres participent à un service ou à une mission de la communauté chrétienne ; beaucoup redécouvrent la messe ou le culte du dimanche. Enfin, certains ne donnent pas de suite structurée, mais après tout, Jésus, lui non plus, n'a pas hésité à semer au bord du chemin !

Un nombre croissant de personnes issues d'Alpha viennent enrichir les potentialités des paroisses. Elles permettent par exemple de renforcer l'accueil, de mettre en place un éveil à la foi des tout-petits pendant la messe ou le culte, de renforcer les équipes d'animation de la catéchèse et de l'aumônerie des jeunes, d'organiser un soutien scolaire, d'étoffer un service caritatif tel que le service des repas des personnes sans domicile ou l'aide administrative.

Naturellement, il n'est pas nécessaire bien sûr d'appartenir à six groupes différents pour vivre les six dimensions constitutives des communautés chrétiennes ! Mais il convient de veiller à ce que chaque personne puisse les vivre d'une manière ou d'une autre par le biais des différents engagements. C'est de cette façon que chacun grandit dans sa foi et dans son chemin de disciple.

Transformations nécessaires des communautés chrétiennes qui mettent en œuvre le parcours Alpha

Dans leur *Lettre aux catholiques de France* de 1996, les évêques de France posaient clairement l'orientation : « Il faut que la pastorale de l'accueil s'accompagne d'une pastorale de la proposition, par laquelle l'Église ne craint pas de prendre l'initiative. » Puis : « Nous avons à accueillir le don de Dieu dans des conditions nouvelles et à retrouver en même temps le geste initial de l'évangélisation : celui de la proposition simple et résolue de l'Évangile du Christ. » Le parcours Alpha est l'une des manières de répondre à cet appel. En même temps, et c'est ici le cœur de notre propos, les évêques invitaient les communautés chrétiennes à « se préparer aux "changements nécessaires" pour accueillir ces nouveaux croyants ». Pourquoi ces « changements nécessaires » ? Parce que, spontanément, nos communautés ne sont pas ouvertes aux nouveaux croyants. Malgré notre bonne volonté, il se trouve de nombreuses paroisses où un nouveau venu peut venir chaque dimanche pendant plusieurs mois sans que quiconque lui adresse la parole. Le risque, dans de telles conditions, c'est qu'Alpha soit proposé en vase clos, et que les nouveaux croyants, lorsqu'ils découvrent la paroisse dans sa réalité quotidienne, aient l'impression qu'on leur a fait le coup de l'« appartement témoin ».

Ces transformations adviennent progressivement. Voici quelques évolutions observées dans les paroisses et églises qui ont entrepris cette mutation :

La vie fraternelle et le service mutuel

De plus en plus de paroisses mettent en place un pot après la messe ou le culte du dimanche matin. Cela permet de favoriser l'accueil des nouveaux arrivés dans le quartier ou la paroisse, d'entretenir la vie fraternelle, notamment en se rendant compte de ceux qui peuvent avoir un problème particulier : de santé, de famille, dans le travail ou autres. Le *nec plus ultra* dans ce domaine est d'avoir une garderie au même moment qui permet aux jeunes parents d'y assister en pleine liberté d'esprit. À défaut, ils se retirent, et progressivement les jeunes familles disparaissent de ces moments de rencontre. Certaines occasions sont saisies tout au long de l'année pour faire la fête ensemble : un concert ou le marché de Noël, la mi-carême, la fête des Mères et/ou des Pères, la fête de la Musique... Certaines communautés protestantes, davantage que les paroisses catholiques, ont l'habitude d'organiser chaque année des vacances paroissiales d'environ une semaine mêlant détente, vie familiale et amicale, enseignement, louange et prière. C'est une charge assez lourde, mais qui peut être déléguée et qui porte beaucoup de fruit.

Peu importe au fond les modalités d'organisation de la vie fraternelle. Ce qui compte, c'est qu'elle soit une priorité pour certains des principaux responsables de la communauté, pasteur en tête. À partir de là, il est possible de réfléchir à la mise en place de différents rythmes : hebdomadaire pour le pot du dimanche, bimensuel pour la réunion des groupes de maison, trimestriel au moins pour les fêtes en tout genre, annuel pour les vacances ou le pèlerinage paroissial. Avec le temps, ces rythmes pénètrent dans l'ADN de la communauté chrétienne et créent une dynamique fraternelle. Cela permet aussi d'être ensemble, en communauté, alors que beaucoup de nos paroisses ou églises vivent en silos, chacun dans des activités : les responsables de la préparation au mariage ne connaissent pas ceux de la catéchèse, tandis que les adeptes de la messe du samedi à 18 h 30 semblent ignorer jusqu'à l'existence de ceux qui y vont le dimanche à 9 h 45. Certaines paroisses ont mis en place des célébrations de la réconciliation avec invitation à faire des démarches interpersonnelles de demande de pardon. Ce genre d'initiatives fait faire des pas de géant. D'autres instituent des rencontres deux à trois fois par an entre les personnes qui exercent un service dans la paroisse. L'investissement dans la vie fraternelle est probablement l'un des plus féconds qu'une paroisse puisse faire. Dans ce domaine plus qu'ailleurs, la persistance est la clé. Les membres de l'équipe Alpha peuvent être mis utilement à contribution une fois qu'ils l'ont quittée, car ils y ont développé une sensibilité et une expertise sur ce plan. C'est pour cela d'ailleurs qu'un nombre croissant d'entre eux sont invités à rejoindre le conseil pastoral ou l'équivalent. Pourquoi ne pas aller plus loin, et confier à une personne, ou à une équipe, l'organisation de la vie fraternelle ? Toutes ces initiatives renforcent et font grandir le tissu fraternel de la communauté et, partant, la rendent plus apte à accueillir les nouveaux.

La prière de louange et d'intercession

Il est important de remettre Dieu au centre de tout ce que nous faisons dans nos paroisses. À défaut, on sépare artificiellement le cultuel et l'administratif. À cet égard, un nombre croissant de paroisses introduisent la prière de louange et d'intercession, ainsi que des lectures de passages de la parole de Dieu au sein des différents services de la paroisse. Il semble spécialement urgent de mettre en place de tels changements dans la manière d'exercer les responsabilités de l'accueil, de la catéchèse et de l'éveil à la foi. Avec le temps, on peut progressivement l'étendre à toute la vie de la communauté, y compris, on l'a vu, à ceux qui entretiennent le bâtiment ou le jardin ! On peut citer dans ce domaine aussi la création d'un groupe de prière où soit effectivement représenté un large éventail des activités de la communauté. On voit également apparaître un nombre croissant de groupes de prière et adoration pour de petits enfants, qui s'y investissent avec ferveur, et qui permettent de toucher une frange de jeunes parents qui ne viendraient jamais autrement.

La liturgie

La liturgie est un domaine spécialement délicat, qui suscite des débats passionnés. Qu'il suffise ici de dire que le changement est possible, à condition d'avoir un pasteur et une équipe déterminés, ayant le sens des priorités, sachant ce qu'ils font, distinguant l'essentiel de l'accessoire. L'un des exemples les plus frappants dans ce domaine est la multiplication, depuis quelques années en France, des cultes ou messes des jeunes. Certaines églises ou paroisses ont soigneusement préparé le lancement et en ont confié la préparation aux jeunes eux-mêmes : il n'y a que cela qui marche... Certaines de ces assemblées rassemblent chaque dimanche plusieurs centaines de jeunes, jusqu'à un millier. Ce sont des lieux où l'on a l'impression de voir se réaliser la prophétie d'Amos : « Voici venir des jours où je répandrai la famine dans le pays, non pas la faim du pain, ni la soif de l'eau, mais celle d'entendre la parole du Seigneur » (Amos 8, 11). Cela implique de changer un peu les habitudes, notamment au niveau des chants. Il peut être nécessaire d'intégrer de nouveaux instruments, piano, boîte à rythme, saxo, basse et guitare, sans oublier l'orgue qui, dans cet environnement, retrouve une nouvelle jeunesse ! Si ces changements permettent de développer le sens de la présence de Dieu, plus personne ne regardera sa montre en piaffant au bout de cinquante-huit minutes. Les communautés évangéliques l'ont bien compris, dont certains cultes durent plus de trois heures, introduits par plus d'une heure de louange. Une paroisse propose « la messe qui prend son temps » qui dure plus d'une heure et demie, en y adjoignant l'oraison personnelle, la *lectio divina*, le partage de vie et un pot de sortie. Une autre paroisse de la région parisienne fait précéder la célébration de la messe d'une heure de prière de louange, puis la fait suivre d'un enseignement par un « grand témoin » avec à la clé un dîner informel à la goguette improvisée et justement nommée *Pizza Ecclesia* ! Plus de huit cents jeunes viennent ainsi le dimanche soir et restent à l'église pendant près de quatre heures, de 18 heures à 22 heures… Et il faut arriver en avance, sinon il n'y a pas de place. Si ces sujets sont traités sérieusement, en équipe, en écoutant les points de vue tout en gardant l'objectif principal à l'esprit (l'accueil des nouveaux croyants), avec le souci d'impliquer largement les autres activités de la paroisse, dans un esprit d'amour et une prière instante, les fruits seront là. Mais cela requiert que beaucoup s'impliquent, en faisant le meilleur usage de leurs compétences.

La formation

Certaines paroisses organisent une « école de la foi » qui permet de donner de solides bases théologiques aux responsables. D'autres organisent un point librairie ouvert à la sortie de chaque messe ou de chaque culte, avec un assortiment spécial pour les nouveaux croyants… et les plus anciens. Le bénéfice peut servir à payer le pot... Au-delà de ces illustrations, il est important de souligner que la formation est un élément clé pour une communauté qui désire grandir. Certes, il existe des parcours de formation continue dans les facultés de théologie ou les centres diocésains. Mais rien ne remplace une formation de base, proposée en paroisse (ou en groupes de paroisses ou d'églises pour des raisons de moyens), conçue pour les responsables en fonction des nécessités du terrain. Certaines paroisses proposent ainsi régulièrement un parcours de formation biblique, spirituel, fraternel et ecclésial à ceux qui commencent à exercer des responsabilités. Les plus sophistiqués, dans le monde évangélique, sont des parcours où chacun peut identifier et développer ses talents et ses charismes pastoraux.

Une manière efficace est de concevoir une formation sur trois à cinq soirées de trois heures qui couvrent systématiquement trois champs : une théologie (1) ; un modèle (2) ; une pratique (3). La partie théologique (1) permet d'enraciner l'activité pastorale dans le cadre où elle prend son sens, en donnant notamment les fondements scripturaires du cadre dans lequel cette activité s'insère. Elle permet aussi que le groupe partage la même vision de la finalité d'une activité donnée. La partie modèle (2) est importante pour les activités pastorales. Concrètement, comment fait-on ? Le seul moyen que les pratiques ne partent pas dans tous les sens est de dessiner un modèle simple, pragmatique, recensé par écrit si possible et aisément transmissible. C'est la charte de l'activité qui permet de se maintenir à un certain niveau d'exigence. C'est l'existence d'un modèle qui permet de croître et de se multiplier : si chacun fait les choses dans son coin, à sa sauce, il devient rapidement difficile de faire grandir l'activité. Et contrairement au préjugé tenace, l'existence d'un modèle ne bride pas la créativité.

Au contraire, il permet à chacun de mettre le meilleur de soi sans avoir à réinventer la roue, tout en permettant une construction plus solide et cohérente. Il est essentiel enfin de mettre en place la pratique (3) dès le moment de la formation, car c'est là que se vérifie l'acquisition des enseignements : on passe du « savoir » au « savoir-faire » (tandis que la partie théologique jette une lumière sur le « savoir-être »). Cette manière de monter des formations pastorales articulées en trois parties – une théologie, un modèle, une pratique – est un moyen très puissant de favoriser le dynamisme d'une communauté. Je donne ici quelques exemples d'application réels pour en montrer le potentiel : prière d'intercession ; animation de la louange ; prise de parole en public (pour les orateurs, par exemple, d'exposés Alpha) ; animation d'un groupe de maison ; animation de la catéchèse et de l'école du dimanche ; préparation au mariage ; évangélisation de porte-à-porte, etc. Certes, beaucoup de ces éléments existent dans nos communautés, mais les formaliser et en répandre le savoir-faire par la formation est un puissant facteur d'attraction des bénévoles. J'ajouterais que toutes les formations qui donnent des fruits proposent à leurs participants d'y vivre un renouvellement spirituel. Il est important de prier avant, après (et même pendant) pour la personne et pour sa mission. D'une certaine manière, la vigueur du développement d'Alpha et du parcours « Elle & Lui » viennent du fait que nous proposons aux chrétiens des formations qui ont ces caractéristiques et qui les aident à devenir missionnaires.

La mission

Je ne reviendrai pas longuement sur ce sujet de la mission de la communauté chrétienne, car c'est en un sens tout le propos de cet ouvrage. Je souhaite simplement redire ici que le sens de la mission est vital pour toute communauté chrétienne, pas au nom d'un déclin qu'il faudrait enrayer, ou de la boutique qu'il faudrait continuer à faire tourner, mais au nom de la vigueur et de la vitalité de notre propre foi. Dans cette entreprise de l'annonce de la Bonne Nouvelle à toute la création, ce n'est pas l'état du monde qui me préoccupe d'abord, mais l'état de l'Église. Dès que les chrétiens retrouvent le sens d'un lien personnel et intime avec leur Seigneur, vécu au sein de la communauté chrétienne, ils redeviennent lumière. « Qui regarde vers Lui resplendira, sans ombre ni trouble au visage » (Psaume 33, 6). Et quand l'Église redevient lumière de la terre, le monde la suit. C'est au sein de chacune de nos communautés chrétiennes, églises, paroisses que se joue cette révolution.

J'espère que ces développements sur la préparation « aux "changements nécessaires" pour accueillir les nouveaux croyants » sont un encouragement pour ceux qui sont en position de responsabilité devant toutes ces opportunités à saisir, et non de fatigue à l'idée de tout ce qu'il va falloir faire en plus... J'ai la conviction, pour l'avoir vu maintes fois dans des lieux d'Église très différents, que de tels changements sont structurants pour une paroisse. Non seulement en raison des fruits qu'ils portent, mais aussi parce qu'ils sont un moyen puissant d'attirer et de faire grandir de nouveaux talents. Peut-être avez-vous été sceptique à la lecture du chapitre sur les compétences, en songeant : « À quoi bon tout cela ? » La dynamique décrite ici en termes de vie fraternelle, de service mutuel, de prière d'intercession et de louange, de formation et de mission débouche sur une relation intime de chacun de ceux qui le désirent avec le Christ, et constitue un milieu accueillant et porteur pour les nouveaux. Cela aide à constituer des communautés où les liens fraternels sont plus denses, où la joie d'être avec d'autres chrétiens est plus visible, où le désir missionnaire et le sens du service sont plus développés et où une place plus grande est laissée à l'intercession pour la mission et pour les autres. C'est à cette tâche exaltante que chaque chrétien est appelé à consacrer le meilleur de ses talents. « À ceux auxquels il a été beaucoup donné, il sera beaucoup demandé » (Luc 12, 48).

Peut-être se dira-t-on aussi : tout ça pour des nouveaux ! Ce traitement tapis rouge est-il indispensable ? Les nouveaux doivent-ils être des V.I.P. dans nos communautés ? De toutes mes forces je réponds OUI ! Car comme tout être vivant, lorsqu'une communauté ne retrouve pas un chemin de croissance, elle entre dans un chemin de déclin et de mort. Il suffit de regarder les portes de milliers d'églises fermées à travers la France entière pour s'en souvenir. Sans parler de celles que l'on voit en Angleterre cédées à des promoteurs qui en réaménagent l'intérieur pour en faire des lofts de luxe avec voûte, vitraux et chapiteaux néo-gothiques...

Alpha dans la vie ordinaire de la paroisse : le narthex moderne

Les communautés chrétiennes avaient construit dans leurs églises un vestibule, le narthex, juste après la porte d'entrée principale, avant d'entrer dans la nef, le lieu où se tiennent les fidèles. Cet espace intermédiaire, que l'on peut encore souvent voir aujourd'hui, servait entre autres à l'accueil des fidèles non baptisés qui, pendant la période de préparation de leur baptême, suivaient de là la liturgie de la parole. Ils rejoignaient après leur baptême le reste de la communauté.

De la même manière, Alpha peut être vu comme un espace intermédiaire avant d'entrer dans l'Église, un narthex virtuel. Les portes d'accès à ce narthex sont nombreuses, ce sont les divers aspects de la vie paroissiale et des paroissiens : l'accueil des personnes nouvellement arrivées dans le quartier ou la paroisse ; les demandes de messes, toute demande de ce genre pouvant en cacher une autre plus profonde ; la rencontre des familles à l'occasion des inhumations ; l'accueil des personnes en recherche de sens ; la préparation au mariage ; les parents des enfants qui suivent le catéchisme ou l'école du dimanche ; les visites historiques de l'église et les concerts donnés dans l'église ; les liens tissés à l'occasion des relations de voisinage ; les engagements caritatifs ou associatifs. La liste est longue, et montre pourquoi il est indispensable que le parcours Alpha développe dans la paroisse un maximum de points de contact avec toutes ces occasions. Vu de cette manière, le parcours Alpha doit être central dans la vie paroissiale. Non pas que le pasteur ou le curé doive en parler en chaire chaque dimanche : cela lui donnerait une prééminence qu'il ne mérite pas, et qui horripilerait vite les paroissiens. Mais il est indispensable que le parcours soit connu précisément de tous ceux qui sont placés à l'une des portes d'accès au narthex, tous ceux qui dans la paroisse ont, à un titre ou un autre, un contact régulier avec l'extérieur. L'idéal serait qu'ils suivent pour eux-mêmes un cycle, par exemple comme « assistant » dans un groupe Alpha, ce qui leur fera comprendre mieux la dynamique à l'œuvre, les attentes et l'état spirituel des participants, et au passage, aura probablement sur eux un effet de renouvellement intérieur profond.

Comment démarrer dans de bonnes conditions

Cette notion de narthex est importante pour démarrer un parcours Alpha dans de bonnes conditions. Certains parcours ne sont pas allés au-delà de quelques cycles, d'autres se sont arrêtés au changement de responsable de la communauté chrétienne. La relecture de ces expériences permet d'en relever les causes et nous enseigne sur les conditions requises pour démarrer un parcours Alpha.

Certains parcours avaient été mis en œuvre par un groupe trop spécifique de la paroisse, avec le minimum de consentement du prêtre ou du pasteur. Le conseil pastoral n'avait pas vraiment pris conscience de la nécessité d'évangéliser et n'avait pas choisi ce moyen. Les autres services paroissiaux n'avaient pas été suffisamment informés et associés au projet. Le parcours Alpha a été perçu comme activité particulière, une de plus dans le catalogue, éventuellement concurrente avec d'autres. Aussi, le responsable de la paroisse et les acteurs des autres services paroissiaux n'ont envoyé personne ou quasiment. Le parcours s'est arrêté faute de candidats.

Dans d'autres cas le prêtre ou le pasteur étaient partants, voire les initiateurs du parcours, mais ils n'ont pas suffisamment associé leur conseil pastoral et les paroissiens. Le parcours a pu être perçu comme l'affaire du curé, du pasteur, et de quelques-uns. Les nouveaux croyants ont pu avoir du mal à s'intégrer ensuite dans la communauté. Là aussi, le parcours a eu des difficultés à durer par faute de nouveaux invités.

Certains parcours ont commencé de manière concertée avec une équipe de service motivée, mais n'ont pas associé les nouvelles personnes ayant terminé une session au service du parcours suivant. Les initiateurs ont continué d'assurer tous les services lors des sessions ultérieures. L'équipe s'est épuisée. Les personnes ayant suivi le parcours pour elles n'ont pas trouvé facilement à s'insérer dans la paroisse. Il leur a été plus difficile d'inviter des amis et connaissances du fait qu'elles ne participaient pas au parcours suivant, car il est plus difficile de dire « allez voir » que « venez et voyez, j'y serai pour vous servir » !

Dans d'autres cas, le parcours a pu débuter dans de bonnes conditions mais au cours du week-end, il n'a pas été vraiment proposé de démarche d'ouverture personnelle au Christ et à l'Esprit-Saint. Le parcours est resté au stade de l'acquisition d'un savoir mais n'a pas été l'occasion d'une rencontre personnelle du Christ. Faute de ce renouvellement intérieur, les personnes ayant suivi le parcours n'y ont trouvé qu'un intérêt limité et n'ont pas donné suite. Elles n'ont pas invité d'autres personnes ni ne se sont proposées pour être au service.

Certains parcours ont débuté de manière concertée avec une équipe qui a su intégrer les personnes renouvelées spirituellement par le parcours, mais au changement de prêtre ou de pasteur le successeur n'a pas vu l'intérêt d'Alpha. Les animateurs se sont sentis marginalisés et incompris. Le parcours s'est « tari » faute d'être situé comme une porte d'entrée principale dans la paroisse. C'est parfois une véritable révolution copernicienne que d'amener une paroisse à s'engager dans une dynamique d'évangélisation de proximité. Cela peut être très douloureux de vivre une rupture dans cet élan missionnaire.

Au terme de cette étude, nous mesurons bien qu'Alpha n'est pas une activité en plus dans la paroisse, mais un vestibule qui est alimenté par des portes nombreuses. La « vie après Alpha » est normalement la participation à la vie d'une communauté chrétienne aimante, priante, et missionnaire, et qui a toujours à le devenir davantage. C'est donc, dès le départ, l'ensemble de la paroisse ou de l'église qui doit être concerné par la mise en œuvre d'un parcours Alpha : le responsable, prêtre ou pasteur, le conseil pastoral et toute la communauté chrétienne, car c'est elle tout entière qui va devoir accueillir les nouveaux croyants.

Si la mise en œuvre d'un parcours Alpha est avant tout la réponse à l'appel du Christ qui invite à « pêcher au large », c'est aussi un engagement à prendre soin de ses brebis dans la durée. Lorsqu'une personne a fait la rencontre personnelle du Christ, tout commence ! Lors du repas sur les rives du lac de Tibériade après la résurrection, évoqué plus haut, le Christ appelle Pierre à prendre soin de ses agneaux et à conduire plus au large ses brebis. C'est une invitation à prendre soin de ceux qui sont des nouveau-nés dans la foi, mais aussi à accompagner vers la maturité ceux qui ont déjà fait du chemin pour en faire des évangélisateurs et des bergers à leur tour.

Épilogue

I L Y A quelques années, nous étions en vacances au bord de la mer en famille pendant l'été. Il faisait beau, tout allait bien, c'était un moment de repos, de retrouvailles familiales et amicales. L'année avait été intense, tant sur le plan professionnel que sur le plan de la mission.

Après quelques jours de vacances, j'éprouvai une sensation de tristesse indéfinie, d'abattement, de mélancolie, sans raison apparente. Alors que je suis généralement d'un tempérament enthousiaste, j'avais comme perdu le goût des choses et l'élan intérieur. Et, alors que cet état de découragement spirituel se poursuivait depuis plusieurs jours, je commençais à entrevoir un lien probable avec ce service d'annonce de l'Évangile dans lequel Florence et moi étions engagés depuis déjà plusieurs années.

La tâche était immense, nos forces si limitées. Pensant à l'état de l'Église en France, les lamentations d'Isaïe me revenaient régulièrement à l'esprit : « Oh ! Si tu déchirais les cieux, et si tu descendais [...] Il n'y a plus personne pour invoquer ton nom, qui se réveille pour s'attacher à toi. [...] Tes villes saintes sont devenues un désert, Sion est un désert, Jérusalem une désolation. Ton temple saint et magnifique où nos pères célébraient tes louanges est devenu la proie des flammes, tout ce que nous avions de précieux a été dévasté » (Isaïe 64). Comme le prophète, j'étais tenté de dire : « Je me suis fatigué en vain, c'est pour du vide, pour du vent que j'ai épuisé mon énergie » (Isaïe 49, 4). Bref, pas une forme éblouissante, et j'en étais d'autant plus désolé que je voyais bien que cet état de morosité ne faisait pas de moi un compagnon très agréable pour ma famille, précisément au moment où nous avions besoin de nous retrouver.

Florence, les enfants, des amis ont prié pour moi à plusieurs reprises. Puis après quelques jours passés dans cet état, j'ai éprouvé intérieurement que le Christ m'adressait des paroles de réconfort. Je souhaite les partager ici, si cela peut être utile à certains de ceux qui s'engagent à sa suite dans l'annonce du Royaume. J'ai d'abord entendu : « Ce n'est pas *ton* Église, c'est *la mienne* ! » Cela m'a aidé instantanément à remettre les choses en perspective ! Ensuite : « Ce n'est pas toi qui fais le travail, c'est moi. » Le sentiment de fardeau a alors disparu… La troisième parole de consolation était : « Si je t'ai appelé dans ce service, ce n'est pas pour t'exploiter, ou parce que j'aurais besoin de main-d'œuvre. C'est parce que je t'aime… » Le reste des nuages s'est dissipé d'un coup, comme souvent quand l'Esprit-Saint est à la manœuvre. L'allégresse, la paix intérieure et le sourire sont revenus. Je venais au cours de ces quelques journées de faire une expérience concrète de ce que Jésus annonçait à ses apôtres, juste avant d'entrer dans sa terrible agonie : « En vérité, en vérité, je vous le dis, vous pleurerez et vous vous lamenterez et le monde se réjouira. Vous serez, vous, attristés, mais votre tristesse se changera en joie » (Jean 16, 20).

Cette expérience, tout disciple du Christ, tout apôtre, a été ou sera probablement amené à la vivre, sous une forme ou une autre. Faut-il pour autant hésiter à faire découvrir autour de soi la toute-puissance de l'amour de Dieu, qui transforme et libère ? La soif de le rencontrer n'a peut-être jamais été si forte dans le monde d'aujourd'hui. Tant de cœurs se demandent : « Qui nous fera voir le bonheur ? » (Psaume 4, 7) et s'interrogent sur la réalité de Dieu. Seul l'Esprit-Saint peut satisfaire cette soif.

Aussi, si vous hésitez à vous engager dans un parcours Alpha, je vous encourage de tout cœur à tenter l'expérience. La plupart de ceux qui s'y aventurent sont, comme vous sans doute, emplis de questions et de doutes quant à leurs capacités. J'ai une pleine confiance que vous y serez accompagné par le Christ lui-même. Lancez-vous, invitez largement, en osant croire à sa promesse : « Voici, je me tiens à la porte et je frappe ; si quelqu'un entend ma voix et ouvre la porte, j'entrerai chez lui, je dînerai avec lui, et lui avec moi » (Apocalypse 3, 20).

Ainsi, par vous, beaucoup de cœurs découvriront Jésus-Christ vivant, et expérimenteront la réalité et l'actualité du Royaume de Dieu. Quant à vous, vous vous y ferez des amis qui vous seront reconnaissants pour l'éternité.

Pour en savoir plus sur Alpha,
consultez le site www.parcoursalpha.fr
ou contactez directement Alpha France :
contact@coursalpha.fr

Table

Pour en savoir plus
sur les Presses de la Renaissance
(catalogue complet, auteurs, titres,
extraits de livres, revues de presse,
débats, conférences...),
vous pouvez consulter notre site Internet :

www.presses-renaissance.fr

Achevé d'imprimer sur les presses de

BUSSIÈRE

GROUPE CPI

à Saint-Amand-Montrond (Cher)
en juin 2007

Composé par Nord Compo
à Villeneuve-d'Ascq